JUNTOS SOMOS MELHORES

RICK WARREN

JUNTOS SOMOS MELHORES

POR QUE ESTAMOS AQUI?

EDITORA VIDA
Rua Conde de Sarzedas, 246 — Liberdade
CEP 01512-070 — São Paulo, SP
Tel.: 0 xx 11 2618 7000
atendimento@editoravida.com.br
www.editoravida.com.br
@editora_vida /editoravida

JUNTOS SOMOS MELHORES
© 2004 by Purpose Driven Publishing
Título original
Better together: what on earth are we here for?
edição publicada por © 2008 by Editora Vida

Todos os direitos desta edição em língua portuguesa reservados e protegidos por Editora Vida pela Lei 9.610, de 19/02/1998.

É proibida a reprodução desta obra por quaisquer meios (físicos, eletrônicos ou digitais), salvo em breves citações, com indicação da fonte.

▪

Exceto em caso de indicação em contrário, todas as citações bíblicas foram extraídas de *Nova Versão Internacional* (NVI) © 1993, 2000, 2011 by International Bible Society, edição publicada por Editora Vida. Todos os direitos reservados.

Todas as citações bíblicas e de terceiros foram adaptadas segundo o Acordo Ortográfico da Língua Portuguesa, assinado em 1990, em vigor desde janeiro de 2009.

▪

Editor responsável: Sônia Freire Lula Almeida
Editor-assistente: Gisele Romão da Cruz
Tradução: Sônia Pizzatto
Revisão de tradução: Polyana Lima
Revisão de provas: Equipe Vida
Diagramação: Neriel Lopez
Capa: Thiago Bech

As opiniões expressas nesta obra refletem o ponto de vista de seus autores e não são necessariamente equivalentes às da Editora Vida ou de sua equipe editorial.

Os nomes das pessoas citadas na obra foram alterados nos casos em que poderia surgir alguma situação embaraçosa.

Todos os grifos são do autor, exceto indicação em contrário.

1. edição: 2006
2. edição: abr. 2008
8. reimp.: set. 2017
9. reimp.: jul. 2019
10. reimp.: nov. 2022
11. reimp.: nov. 2023

Dados Internacionais de Catalogação na Publicação (CIP)
(Câmara Brasileira do Livro, SP, Brasil)

Warren, Rick
  Juntos somos melhores: por que estamos aqui? / Rick Warren; tradução Sônia Pezzato. — 2. ed. — São Paulo: Editora Vida, 2008.

  Título original: *Better Together*.
  Bibliografia.
  ISBN 978-85-383-0062-5

  1. Conduta de vida 2. Espiritualidade 3. Vida espiritual — Cristianismo I. Título.

08-08451   CDD-248.4

Índice para catálogo sistemático:
1. Conduta de vida : Prática cristã 248.4
2. Vida espiritual : Prática cristã 248.4

Sumário

Introdução	7
Uma palavra sobre este manual	14

Somos levados a amar a família de Deus.

Dia 1	Porque Deus nos ama	15
Dia 2	Porque é ordem de Deus	19
Dia 3	Porque assim amamos a Deus	23
Dia 4	Porque isso demonstra que somos salvos	27
Dia 5	Porque somos uma só família	31
Dia 6	Porque é um ensaio para a eternidade	35
Dia 7	Porque é um testemunho para o mundo	38

Somos chamados para juntos alcançar outros.

Dia 8	Intencionalmente	42
Dia 9	Por meio de pequenos grupos	46
Dia 10	Sendo hospitaleiros	50
Dia 11	Demonstrando aceitação	54
Dia 12	Construindo amizades	58
Dia 13	Ajudando de maneira prática	62
Dia 14	Representando Jesus	66

Somos escolhidos para ter comunhão.

Dia 15	Admitindo nossas necessidades uns aos outros	70
Dia 16	Comprometendo-nos uns com os outros	74
Dia 17	Respeitando uns aos outros	78

Dia 18	Apoiando uns aos outros	83
Dia 19	Acertando-nos uns com os outros	87
Dia 20	Sendo pacientes uns com os outros	91
Dia 21	Sendo honestos uns com os outros	95

| ESTAMOS UNIDOS PARA CRESCER JUNTOS.

Dia 22	Sendo exemplos uns com os outros	99
Dia 23	Encorajando uns aos outros	103
Dia 24	Ensinando uns aos outros	107
Dia 25	Advertindo uns aos outros	111
Dia 26	Dando preferência uns aos outros	115
Dia 27	Confessando uns aos outros	119
Dia 28	Perdoando uns aos outros	123

| SOMOS CHAMADOS PARA SERVIR JUNTOS.

Dia 29	Estando prontos para servir	127
Dia 30	Ajudando uns aos outros	131
Dia 31	Sendo generosos uns com os outros	135
Dia 32	Sendo humildes uns com os outros	139
Dia 33	Usando nossos talentos para abençoar uns aos outros	143
Dia 34	Sacrificando-nos uns pelos outros	147
Dia 35	Cooperando uns com os outros	151

| SOMOS CRIADOS PARA ADORAR JUNTOS.

Dia 36	Adorando semanalmente	155
Dia 37	Preparando-nos para adorar	159
Dia 38	Orando juntos	163
Dia 39	Ofertando juntos	167
Dia 40	Celebrando juntos	171

Uma palavra final de encorajamento   175

Introdução

Queridos amigos,

Durante os 40 Dias de Propósitos, descobrimos que Deus nos colocou na Terra por cinco razões: para podermos conhecê-lo e amá-lo (adoração), para aprendermos a amar uns aos outros (comunhão), para crescermos a fim de ser semelhantes a Jesus (discipulado), para usarmos nossos talentos em seu serviço (ministério) e para compartilharmos as boas-novas da salvação com outros (missões). Hoje, milhões de pessoas por todo o mundo já estão desfrutando a vida com propósitos.

Mas essa vida, planejada por Deus, não é para ser vivida de forma solitária. De fato, isolado dos outros é impossível cumprir os cinco propósitos. Desde o início, o plano é que você os cumpra em comunidade, com sua família espiritual, em seu pequeno grupo e com as pessoas a seu redor. Sabe por que Deus planejou assim? Porque é melhor serem dois do que um!

O objetivo dos 40 Dias de Comunidade é regar as sementes que foram lançadas em sua vida durante os 40 Dias de Propósitos e ajudá-lo a dar o passo seguinte em direção à maturidade e à vida significativa aqui na terra. Os 40 Dias de Comunidade irão aprofundar seu conhecimento de como Deus usa outras pessoas — especificamente as de sua igreja-família — para seu bem e crescimento. Você também perceberá como Deus pode usar sua vida para abençoar outros.

Nosso objetivo para os próximos 40 dias será cumprirmos, juntos, os cinco propósitos de Deus. Vamos fazê-lo de duas formas: primeiramente, aprofundando a comunhão e o amor em nossa igreja, e, em segundo lugar, alcançando com amor os que estão próximos a ela. Precisamos desses dois fatores para uma vida com propósitos saudável e equilibrada.

Sua participação neste pequeno grupo será a parte mais importante dos 40 Dias de Comunidade. O sentido verdadeiro de comunidade *koinonia* é conquistado e não ensinado. Em seu grupo, você experimentará, de fato, a comunhão e não apenas tentar criar relacionamentos.

Os 40 Dias de Propósitos focalizavam uma questão: "Afinal de contas, por que *estou* aqui?". Agora estamos prontos para examinar a segunda questão: "Afinal de contas, por que *estamos* aqui?". Durante as próximas seis semanas pesquisaremos as cinco razões pelas quais precisamos uns dos outros para cumprir os propósitos de Deus para nossa vida. Apresentamos, a seguir, uma visão panorâmica dessas cinco razões:

Juntos temos melhor comunhão! A Bíblia diz que fomos criados para a comunhão. Obviamente, não é possível tê-la sozinho! São necessárias pelo menos duas pessoas. E você não consegue desenvolvê-la com uma multidão. A verdadeira comunhão ocorre num pequeno grupo de pessoas, é por isso que Jesus tinha um grupo de 12 discípulos! Ele nos deixou o modelo da comunhão.

Ela não acontece automaticamente. O fato de nos reunirmos numa igreja não a garante! Você pode frequentar as reuniões durante toda a sua vida e ainda assim sentir-se sozinho e desconectado. A Bíblia diz: "Irmãos, em nome de nosso Senhor Jesus Cristo suplico a todos vocês que concordem uns com os outros no que falam, para que não haja divisões entre vocês; antes, que todos estejam unidos num só pensamento e num só parecer"

(1Coríntios 1.10). Note que comunhão é algo que precisamos aprender. Tem de ser intencionalmente cultivada.

O que significa cultivar uma vida em comum? Na Bíblia, a palavra grega para comunhão é *koinonia*. Significa estar comprometido mutuamente, como estamos com Jesus Cristo. A comunhão verdadeira nos leva além de uma socialização simples, de um estudo em conjunto, leva-nos a níveis mais profundos de serviço mútuo e, às vezes, a passarmos por sofrimento juntos. Esse tipo de comunhão é o antídoto para a penetrante solidão que assombra tantas pessoas.

Juntos crescemos melhor! Da mesma forma que sua mão não pode desenvolver-se quando separada de seu corpo, você não pode crescer espiritualmente quando estiver separado da comunhão do corpo de cristãos de sua igreja local. A Bíblia diz que, juntos, formamos o corpo de Cristo. Dessa forma, cada membro é importante e necessário para que o corpo funcione de acordo com o planejado.

Durante os 40 Dias de Comunidade, colocaremos em prática algumas das melhores formas de ajudarmos uns aos outros a crescer espiritualmente: aceitando (Romanos 15.7), encorajando (1Tessalonicenses 5.11) e aconselhando (Colossenses 3.16). Do mesmo modo que um bebê precisa de uma família para crescer, você precisa de uma família espiritual a fim de transformar-se e ser tudo o que Deus planejou que fosse.

Algumas pessoas acham que a única maneira de se tornarem santas e justas é vivendo isoladas, como um ermitão numa caverna, para não serem maculadas pela humanidade. Mas Jesus, a pessoa mais santa que já viveu, esteve entre nós — em meio a todos os nossos problemas. Consolou o pobre, andou com os rejeitados, tocou nos leprosos, associou-se às pessoas com todo tipo de entraves e de maus hábitos. Os líderes religiosos o chamaram de "amigo de pecadores", uma expressão pejorativa, mas Jesus considerava seu comportamento uma evidência de amor.

É somente em comunidade que aprendemos a mais importante lição, amar. Sem relacionamentos, nunca seremos capazes de desenvolver paciência, bondade, altruísmo, perdão e toda qualidade cristã que Deus quer que tenhamos.

Juntos servimos melhor! Paulo estimulava os cristãos da igreja de Filipos dizendo: "completem a minha alegria, tendo o mesmo modo de pensar, o mesmo amor, um só espírito e uma só atitude" (Filipenses 2.2). Há mais benefícios em servir juntos a Deus do que sozinhos: compensamos as deficiências uns dos outros, somos mais eficazes, multiplicamos nosso desempenho, podemos enfrentar problemas maiores e conseguimos sustentar uns aos outros quando estamos cansados ou desanimados.

Você sabia que seus talentos não são apenas para seu benefício? Deus os deu para beneficiar os outros. O Senhor também deu talentos aos outros para beneficiar você. Dessa forma, nenhum de nós pode afirmar com arrogância que é auto-suficiente, completo em si mesmo. Deus quer que dependamos uns dos outros para cumprirmos seus propósitos.

De fato, nossos talentos são mais bem utilizados quando os combinamos com os de outras pessoas. A Bíblia diz: "É melhor ter companhia do que estar sozinho, porque maior é a recompensa do trabalho de duas pessoas" (Eclesiastes 4.9). Durante os 40 Dias de Comunidade, muitos de nós experimentaremos, pela primeira vez, a alegria de servir junto com outros.

Juntos adoramos melhor! Adorar em comunidade aumenta nossa alegria, amplia nossa perspectiva, ajuda outros a crer e garante a presença de Deus em nosso meio. Jesus disse: "Pois onde se reunirem dois ou três em meu nome, ali eu estou no meio deles" (Mateus 18.20). É verdade que Deus está sempre conosco, mas há um sentido de sua presença, único e poderoso, que só pode ser desfrutado em comunidade, com outros cristãos.

O fato de adorarmos com outros cristãos nos ajuda a enxergar além de nós mesmos e de nossos problemas. Perguntaram a C. S. Lewis, o brilhante autor de Oxford, a importância de adorar a Deus em comunidade. Ele respondeu contando sobre sua primeira experiência em um culto de adoração:

> Não gostei nada dos hinos, que considerei feitos só para adaptar poesias a seis estrofes musicais. Mas, quando saí dali, percebi o grande valor de tudo aquilo... e aos poucos meu conceito começou a se transformar. Percebi que os hinos com seis estrofes eram, no entanto, cantados com devoção e de modo abençoador por um santo senhor idoso, que usava botas elásticas, no banco do outro lado. Percebi que eu não podia nem limpar aquelas botas. Adoração em comunidade nos tira de nosso egocentrismo.

Juntos alcançamos outros! A Bíblia diz:

> Não importa o que aconteça, exerçam a sua cidadania de maneira digna do evangelho de Cristo, para que assim, quer eu vá e os veja, quer apenas ouça a seu respeito em minha ausência, fique eu sabendo que vocês permanecem firmes num só espírito, lutando unânimes pela fé evangélica (Filipenses 1.27).

Deus espera que nos unamos para compartilhar as boas-novas com outros.

Um modo prático de fazer isso é convidar pessoas de seu convívio para participar de estudos num pequeno grupo, com você! Muitos que relutam ou hesitam em visitar a igreja aceitariam alegremente o convite para uma reunião informal numa casa ou escritório. Não perca essa oportunidade tão boa de alcançar seus vizinhos, amigos e colegas de trabalho!

Outra forma de seu pequeno grupo alcançar pessoas é através de um projeto especial. Há muitas oportunidades bem aí em sua comunidade: pobres necessitando de alimento; presos, de visita; idosos, de ajuda em suas casas para consertos ou limpeza do jardim; filhos de mães solteiras, de orientadores; e, ainda, pessoas à sua volta precisando saber que Deus as ama e tem um propósito para suas vidas.

Jesus diz em Mateus 25.35-40 que um dia estaremos diante de Deus e que uma das coisas pelas quais seremos avaliados é o modo de tratarmos o outro:

> "Pois eu tive fome, e vocês me deram de comer; tive sede, e vocês me deram de beber; fui estrangeiro, e vocês me acolheram; necessitei de roupas, e vocês me vestiram; estive enfermo, e vocês cuidaram de mim; estive preso, e vocês me visitaram." Então os justos lhe responderão: "Senhor, quando te vimos com fome e te demos de comer, ou com sede e te demos de beber? Quando te vimos como estrangeiro e te acolhemos, ou necessitado de roupas e te vestimos? Quando te vimos enfermo ou preso e fomos te visitar?".
>
> O Rei responderá: "Digo-lhes a verdade: O que vocês fizeram a algum dos meus menores irmãos, a mim o fizeram".

É hora de colocar nosso amor em ação. Imagine o que aconteceria se em cada pequeno grupo de sua igreja todos os membros se unissem para alcançar outras pessoas, demonstrando juntos o amor, com ações práticas. Você não acha que isso faria uma grande diferença onde vocês moram?

Agora, imagine o que aconteceria se todos os pequenos grupos em todas as *igrejas com propósitos* espalhadas pelo país fizessem isso ao mesmo tempo! Milhões de vidas seriam tocadas, milhões de pessoas começariam um relacionamento pessoal com Cristo, milhões de necessitados seriam atendidos e a igreja se tornaria mais conhecida pelo amor demonstrado do que por coisas que ela rejeita. Deus se agradaria e nós veríamos um despertamento espiritual extremamente necessário em nossa cultura.

Deus está se movendo de modo extraordinário em centenas de igrejas nos dias atuais. Convido você a fazer parte dessa história! É um convite para você participar de um grande movimento de pessoas e igrejas dirigidas por propósitos, que estão vivendo completamente para a glória de Deus. Alguém já disse que os flocos de neve são muito frágeis, mas, quando um grupo suficientemente grande deles se junta, são capazes de parar o trânsito. Da mesma forma, você pode achar que não podemos fazer grande diferença como indivíduos. Mas juntos, em nossos pequenos grupos, em nossas igrejas-família e com outras congregações que também estão comprometidas com os propósitos de Deus, podemos fazer diferença em nossa cultura e no mundo. Esse é o poder extraordinário da comunidade!

Não é por acaso que você está participando destes 40 Dias de Comunidade. Antes de você nascer, Deus já o havia escolhido para que fosse um diferencial e causasse impacto para o bem. Você está pronto para dar o próximo passo de crescimento na vida com propósitos e significado? Então, vamos nos juntar durante estes 40 dias para uma caminhada espiritual de aprofundamento, em comunhão e amor, dentro de sua igreja, e para, também, com amor alcançar aqueles que estão ao redor dela.

Juntos somos melhores!

Com amor e admiração,

Rick Warren

Uma palavra sobre este manual

Este manual dos 40 Dias de Comunidade contém tudo o que você precisa para sua jornada. Inclui:

- 40 leituras devocionais diárias, baseadas nos 40 mandamentos do tipo "uns aos outros", que encontramos na Bíblia. Essas pequenas leituras ampliarão o ensino que seu pastor ministrará semanalmente nos cultos e o que você estudará com seu pequeno grupo.

- Páginas para anotação diária, nas quais você escreverá o que aprendeu e as ações que pretende tomar, resultantes de suas leituras diárias, do estudo em grupo e das mensagens transmitidas pelo pastor. Você pode compartilhar esses pensamentos com seu pequeno grupo.

Quero incentivá-lo a desligar a TV e desconsiderar atividades que possam distraí-lo durante os próximos 40 dias, impedindo-o de aproveitar ao máximo esta jornada que faremos juntos.

Tema: Somos levados a amar
a família de Deus.

Dia 1
Porque Deus nos ama

*Amados, visto que Deus assim nos amou, nós
também devemos amar uns aos outros.*
1João 4.11

A questão fundamental da vida é aprender a amar.

O propósito de seu tempo na Terra não é primordialmente adquirir bens, atingir determinado status, obter sucesso, conhecer a felicidade. Isso tudo é secundário. O mais importante é amor e desenvolvimento de relacionamentos com Deus e com os outros. Você pode ter sucesso em muitas áreas, mas, se falhar no aprendizado do amor a Deus e às pessoas, terá perdido a principal razão pela qual ele o criou e o colocou neste planeta. Aprender a amar é a lição mais importante. Jesus se referiu ao amor como o "maior mandamento" (Mateus 22.38). Nada se aproxima dele em importância.

Por quê? Porque Deus é amor e quer que você se torne semelhante a ele. Deus o ama profunda e incondicionalmente. Ele deseja que você aprenda a amá-lo também, a amar os outros, especialmente os que nele têm fé, os que pertencem à família dele.

Mas há um problema: o amor não é algo natural para nós. A natureza humana nos faz pensar em nós mesmos primeiro. Fazemos o que é melhor para nossos interesses, frequentemente sem prestar atenção em como isso afeta os outros. Felizmente, a medida que crescemos, aprendemos a ser menos egoístas. Contudo todos conhecemos pessoas que parecem não crescer nunca e não ter consideração por nada, a não ser por seus próprios desejos, vontades e anseios. O egocentrismo é a raiz de praticamente todos os problemas — pessoais e globais.

O verdadeiro amor coloca as necessidades dos outros antes das suas próprias. Faz do problema do outro um problema seu. Doa sem garantias de receber algo em retribuição. Dá aos outros o que precisam e não o que merecem. Apesar de ser capaz de despertar intensas emoções, não é apenas um sentimento, é uma escolha, uma ação, um comportamento, um compromisso. Amar é sacrificar-se pelos outros.

Quase ninguém neste mundo faz ideia do que ele realmente significa. As músicas que dizem "Preciso de você, quero e preciso ter você" não são canções de amor, mas de lascívia. O amor verdadeiro concentra-se em *como eu posso servir você* e não em *como você pode me servir*. Ele é oposto às nossas tendências egoístas.

É por isso que precisamos aprender a amar. Não é fácil. O amor verdadeiro requer conhecimento, graça de Deus e muita prática. Precisamos nos disciplinar a pensar e a agir de modo amoroso. Durante os 40 Dias de Comunidade, vamos praticá-lo entre nós — de 40 maneiras diferentes. Essas ações são destacadas na Bíblia pela expressão "uns aos outros". São instruções práticas para aprendermos a amar em situações reais.

Como um diamante, o amor é multifacetado. Cada uma das leituras diárias o ajudará a entender e a praticar um aspecto diferente do amor. Separe um tempo todos os dias para pensar seriamente sobre o que ler. Aprender o amor genuíno não é fácil, mas abençoará sua vida além do que você imagina e preparará você para a eternidade.

Naturalmente, você não pode aprender a amar sozinho, tem de desenvolver relacionamentos com diferentes tipos de pessoas a fim de exercitá-lo. A Bíblia chama esse processo de estar em "comunidade", em outras palavras: comunhão. Para pôr em prática os mandamentos do tipo "uns aos outros" dados por Deus, é absolutamente essencial que você encontre uma igreja-família e se envolva num estudo semanal em pequeno grupo. Um pequeno grupo é mais do que somente estudo bíblico, mesmo que seja seu componente maior. O grupo permite tempo para interagir, compartilhar, questionar e orar uns pelos outros. Comunidade é o contexto no qual aprendemos a amar.

Se você fizer apenas as leituras diárias, aproveitará somente uma fração dos benefícios em potencial. Mas, caso encontre-se semanalmente com um pequeno grupo, com seis a oito pessoas, terá um laboratório para a prática do que estiver aprendendo.

Bem, aqui está o versículo de hoje: "Amados, visto que Deus assim nos amou, nós também devemos amar uns aos outros" (1João 4.11). Este é o ponto de partida para construir a verdadeira comunidade: conscientize-se de quanto Deus o ama. Ele não ama apenas você; ama todos da mesma forma e quer que seus filhos amem uns aos outros. Há três alicerces sobre os quais baseamos a vida de amor:

- O amor de Deus *por nós* é a razão para amarmos os outros.
- O amor de Deus *em nós* capacita-nos a amar os outros.
- O amor de Deus *através de nós* é o meio de amarmos os outros.

PARA PENSAR:
A questão fundamental da vida é aprender a amar.

VERSÍCULO PARA MEMORIZAR:
Nós amamos porque ele nos amou primeiro.
1João 4.19

QUESTÃO PARA CONSIDERAR:
Qual seu sentimento quanto a participar de um pequeno grupo nos 40 Dias de Comunidade?

Diário — Dia 1

Tema: Somos levados a amar
a família de Deus.

Dia 2
Porque é ordem de Deus

*Um novo mandamento lhes dou: Amem-se uns aos outros.
Como eu os amei, vocês devem amar-se uns aos outros.*
João 13.34

Amar é um ato deliberado.

Deus diz que temos de decidir amar. Devemos amar os outros cristãos a despeito do que sintamos por eles ou de quão "não amáveis" possam parecer. Não importa a dificuldade, temos de amar, de maneira ativa, consistente e profunda, todo cristão que Deus coloca em nossa vida, congregação e pequeno grupo.

Amar é um mandamento. A decisão de amar é um ato de obediência. Deus considera o amor de uns para com os outros tão essencial que diz ser nosso dever amar (1João 4.21). Essa lição é tão importante que o apóstolo João apresenta repetidas vezes o amor como sinônimo de obediência: se você ama Jesus, obedece a seus mandamentos (João 14.15, 23-24; 1João 2.3, 5.3; 2João 6).

Por que a obediência está ligada ao amor? Porque reflete unidade entre os cristãos — uma unidade de espírito dentro da nossa congregação e do pequeno grupo, fundamental para o trabalho do Reino: "Esta é a mensagem que vocês ouviram desde o princípio: que nos amemos uns aos outros" (1João 3.11). Cristo derruba o mito de que o amor é baseado em bons pensamentos ou em emoções arrebatadoras, ele o define num nível mais alto, no qual comportamento e fé combinam em ações que demonstram dedicação a Deus. Amor não é mais um romance colegial ou um relacionamento ditado pelas compatibilidades. Em vez disso, é, e sempre foi, como o da mãe que cambaleia até o berço de seu filho pela quinta vez durante uma noite, ou de um passageiro que cede seu lugar num bote salva-vidas para que outra pessoa possa ser resgatada num naufrágio. Amor é Cristo na cruz, morrendo por nós, mesmo quando ainda estávamos perdidos em nossos pecados (Romanos 5.8).

Jesus quer que olhemos para o próximo como filho precioso de Deus, merecedor de tempo, atenção e energia. Como membros da família de Deus, devemos escolher amar, e não a quem amar.

Amor requer comunidade. Não podemos obedecer ao mandamento de Cristo se ficarmos isolados. Temos de nos conectar aos outros para amá-los. Estar em comunidade obriga-nos a desistir de nossas "fantasias relacionais", em que todos são pessoas de fácil convívio e os conflitos são resolvidos em felizes acordos.

Deus nos fez diferentes e sabe que temos perspectivas e necessidades distintas. As dores, os hábitos e as dificuldades presentes em todo grupo criam um potencial para conflitos. Porém, o objetivo de Deus é usar esses conflitos para nos ajudar a crescer na semelhança de Cristo.

O amor implica padrões elevados. Jesus disse que temos de ser para os outros o que ele é para nós. O amor de Cristo não é egocêntrico, mas sacrificial e submisso à vontade do Pai. Seu padrão de amor é pessoal — estende-se ao que não merece, esquecendo dos erros e alcançando as necessidades do coração humano.

O amor tem padrões tão desafiadores que só podemos alcançá-los se, fielmente, nos adaptarmos a Gálatas 2.20: "Assim, já não sou eu quem vive, mas Cristo vive em mim". A pessoa que vejo como não merecedora de amor, mas a quem amo agora, amo-a pela fé no Filho de Deus, que a amou primeiro e se entregou por ela.

Como comunidade de cristãos dirigida por propósitos, nosso amor não deve ser medido pelo mínimo esforço que fazemos, nem se limitar aos que parecem merecê-lo. Nosso padrão de amor verdadeiro é que Deus "... nos amou e enviou seu Filho como propiciação pelos nossos pecados [...] visto que Deus assim nos amou, nós também devemos amar uns aos outros" (1João 4.10,11).

PARA PENSAR:
Amar é um ato deliberado.

VERSÍCULO PARA MEMORIZAR:
Um novo mandamento lhes dou: Amem-se uns aos outros. Como eu os amei, vocês devem amar-se uns aos outros.
João 13.34

QUESTÃO PARA CONSIDERAR:
Como você pode demonstrar o amor altruísta de Cristo a uma pessoa difícil de ser amada?

Diário — Dia 2

Tema: Somos levados a amar
a família de Deus.

Dia 3
Porque assim amamos a Deus

... pois quem não ama seu irmão, a quem vê, não pode amar a Deus, a quem não vê.
1João 4.20

Amamos a Deus quando amamos os outros.

Os cristãos ao nosso redor são importantes para Deus. Portanto, devem ser igualmente importantes para nós. Se dissermos que amamos a Deus, mas não os cristãos, é como se estivéssemos dizendo: "Eu gosto de você, mas não de sua esposa".

A Bíblia diz: "Aquele que ama é nascido de Deus e conhece a Deus. Quem não ama não conhece a Deus, porque Deus é amor" (1João 4.7,8). Se não somos capazes de amar as pessoas sentadas ao nosso lado na igreja, como podemos afirmar que amamos a Deus, que está no céu?

A essência do amor não é o que pensamos, fazemos ou providenciamos aos outros, mas como nos entregamos a eles: "e vivam em amor, como também Cristo nos amou e se entregou por nós como oferta e sacrifício de aroma agradável a Deus" (Efésios 5.2). O amor nos impulsiona a abandonar nossas necessidades a fim de nos entregarmos totalmente à tarefa de suprir as dos cristãos em nosso pequeno grupo e na igreja. Amar significa entregar preferência, conforto, objetivo, segurança, dinheiro, energia e tempo para o benefício do próximo.

Amamos a Deus quando olhamos para os outros como Deus olha. Isso significa que devemos parar de julgá-los por sua aparência e começar a vê-los por uma perspectiva celestial (2Coríntios 5.16). O ponto de vista de Cristo nos permite ver como Deus vê, tal como em João 4, quando Jesus encontra uma mulher junto a um poço. Julgando-a pela aparência, veríamos alguém com uma longa história de pecados, rejeitada por seu próprio povo por causa de seu passado, e pelos judeus por sua etnia. Jesus, no entanto, viu seu valor e sua necessidade desesperadora, e a satisfez com a água da vida.

Amamos a Deus quando nos tornamos praticantes da Palavra e não permanecemos como meros ouvintes: "Aquele que ouve a palavra, mas não a põe em prática, é semelhante a um homem que olha a sua face num espelho e, depois de olhar para si mesmo, sai e logo esquece a sua aparência" (Tiago 1.23,24). De fato, é possível estudar diligentemente as Escrituras e não entender nada sobre o amor de Deus (João 5.39,40).

É quase impossível sentar-se num banco de igreja por trinta anos, absorver as Escrituras e agir pouco em relação aos que estão à nossa volta, e ainda declarar que ama a Deus:

> Aquele que diz: "Eu o conheço", mas não obedece aos seus mandamentos, é mentiroso, e a verdade não está nele. Mas, se alguém obedece à sua palavra, nele verdadeiramente o amor de Deus está aperfeiçoado. Desta forma sabemos que estamos nele: aquele que afirma que permanece nele, deve andar como ele andou (1João 2.4-6).

Devemos demonstrar amor toda vez que tivermos oportunidade (Gálatas 6.10). Você tem consciência de que Deus constantemente lhe dá chance de demonstrar amor? Hoje pode ser um dia marcante para um novo começo em sua vida — abra os olhos e busque as oportunidades que Deus está colocando em seu caminho.

A Bíblia ensina: "Não planeje o mal contra o seu próximo, que confiantemente mora perto de você" (Provérbios 3.29). Por que agora é o melhor momento para expressar amor? Porque você não sabe por quanto tempo terá a oportunidade de demonstrá-lo. As circunstâncias mudam, as pessoas morrem, as crianças crescem. Você não tem nenhuma garantia do amanhã. Se quiser expressar amor, precisa ser agora.

Sabendo que um dia você estará diante de Deus, reflita sobre estas questões:

- Como explicar aqueles momentos em que projetos ou coisas foram mais importantes do que as pessoas?
- Quem são as pessoas com as quais você precisa passar mais tempo?
- Do que você precisa abrir mão para tornar isso possível?
- Que sacrifícios precisará fazer?

PARA PENSAR:
Amamos a Deus quando amamos os outros.

VERSÍCULO PARA MEMORIZAR:
... pois quem não ama seu irmão, a quem vê, não pode amar a Deus, a quem não vê.
1João 4.20

QUESTÃO PARA CONSIDERAR:
O que sua maneira de amar diz sobre seu amor por Deus?

Diário — Dia 3

Tema: Somos levados a amar
a família de Deus.

Porque isso demonstra que somos salvos

Sabemos que já passamos da morte para a vida porque amamos nossos irmãos. Quem não ama permanece na morte.
1João 3.14

Amar outros cristãos é evidência de que pertencemos à família de Deus.

Nosso amor por eles é fruto de nosso relacionamento com Deus, mas é importante entender que nossa relação com o Pai não é estabelecida por isso: "Pois vocês são salvos pela graça, por meio da fé, e isto não vem de vocês, é dom de Deus; não por obras, para que ninguém se glorie" (Efésios 2.8,9).

Quando nos tornamos membros da família de Deus (Efésios 2.19), a transformação da morte para a vida nos leva a mudar a atitude de selecionarmos pessoas para amar. Estamos livres para amar incondicionalmente. Todo aquele que assim o faz "é nascido de Deus e conhece a Deus" (1João 4.7). Mas sem o amor semelhante ao de Jesus não podemos declarar que fazemos parte de sua família (1João 3.10).

Pense nisto: se você não ama os outros, se está preocupado apenas com suas necessidades, então deve questionar se Cristo está realmente em sua vida. Um coração transformado por Deus é um coração que ama. Caso tenha dúvidas a respeito de sua salvação, uma das primeiras perguntas que deve fazer a si mesmo é: "Eu amo outros cristãos?". Se esse fruto não existe em sua vida, pergunte-se onde você tem colocado suas raízes!

É possível apontar para um momento específico em sua vida em que você disse "sim" para Deus e permitiu que Jesus transformasse seu coração? Se sua resposta for "não", você precisa resolver a questão. A quem você dedicará sua vida? A Deus ou a si mesmo?

Talvez você duvide de que terá forças para viver para Deus e para amar como ele está pedindo, mas não se preocupe — Deus lhe dará o que for necessário, uma vez que você escolha viver para ele e se tornar membro de sua família. A Bíblia afirma: "Seu divino poder nos deu tudo de que necessitamos para a vida e para a piedade, por meio do pleno conhecimento daquele que nos chamou para a sua própria glória e virtude" (2Pedro 1.3).

O aprendizado de amar como Jesus inicia-se com o compromisso assumido de dedicação total a ele. A Bíblia promete: "Contudo, aos que o receberam, aos que creram em seu nome, deu-lhes o direito de se tornarem filhos de Deus" (João 1.12).

Você aceita essa oferta?

Primeiramente, creia. Creia que Deus o ama e o criou para seus propósitos. Creia que você não está aqui por acaso. Creia que você foi criado para viver para sempre. Creia que Deus o escolheu para você ter um relacionamento com Jesus. Creia em seu coração que Jesus morreu na cruz por você e que Deus o ressuscitou dos mortos (Romanos 10.9). Creia que não importa o que você tenha feito no passado, Deus quer perdoá-lo.

Em segundo lugar, receba. Receba Jesus em sua vida como Senhor e Salvador. Receba o perdão por todos os seus pecados. A Bíblia afirma: "Quem crê no Filho tem a vida eterna; já quem rejeita o Filho não verá a vida, mas a ira de Deus permanece sobre ele" (João 3.36).

Onde quer que você esteja, eu o convido a abaixar sua cabeça e silenciosamente repetir esta oração: "Jesus, eu creio no Senhor e o recebo". O Espírito Santo entrará em sua vida e lhe dará poder para amar os outros como Deus deseja.

Se você fez essa oração sinceramente, parabéns! Bem-vindo à família de Deus! Agora você está pronto a descobrir e começar a viver os propósitos de Deus. Quero incentivá-lo a contar sua decisão aos integrantes de seu pequeno grupo para que possam comemorar com você, orar e ajudá-lo a crescer para atingir sua maturidade em Cristo.

Talvez você já esteja comprometido com Jesus, mas percebeu que não está amando outros cristãos como deveria. Não se preocupe — Deus o ajudará a crescer em sua capacidade de amar. De fato, esse será um dos benefícios destes 40 Dias de Comunidade. Você pode utilizar as leituras devocionais para concordar com Deus que o importante é a fé que atua pelo amor (Gálatas 5.6).

PARA PENSAR:
Amar outros cristãos é evidência de que pertencemos à família de Deus.

VERSÍCULO PARA MEMORIZAR:
Sabemos que já passamos da morte para a vida porque amamos nossos irmãos. Quem não ama permanece na morte.
1João 3.14

QUESTÃO PARA CONSIDERAR:
Se você fosse levado ao tribunal por causa de sua fé, e as expressões de seu amor fossem a única evidência, qual seria o veredicto?

Diário — Dia 4

TEMA: SOMOS LEVADOS A AMAR
A FAMÍLIA DE DEUS.

PORQUE SOMOS UMA SÓ FAMÍLIA

*Tratem a todos com o devido respeito:
amem os irmãos...*
1Pedro 2.17

Temos um forte desejo de pertencer.

Ontem aprendemos que todos os cristãos são "membros da família de Deus" (Efésios 2.19). Isso significa que a igreja não é algo feito por nós, mas algo a que pertencemos — é a família do povo de Deus. É mais do que uma organização, mais do que uma instituição, e até mesmo mais do que um grupo de pessoas que pensam da mesma forma.

Somos uma família forjada pelo fogo do amor de Deus e devemos nos dedicar "uns aos outros com amor fraternal" (Romanos 12.10). Devemos amar uns aos outros como irmãos e irmãs. Esse sentimento de unidade permite que criemos uma autêntica comunidade cristã — nela somos aceitos, apoiados e desafiados a viver completamente os propósitos de Deus para nossa vida; pertencemos, e ajudamos outros a crer que pertencem também.

Família é sinônimo de compromisso firme e profundo, de sustento, não importando quão difícil possa ser. Fazemos por ela o que não faríamos por mais ninguém.

Para muitos de nós, essa imagem é falha porque nunca pertencemos realmente a uma família íntegra e amorosa. Conhecemos apenas modelos quebrados, relacionamentos destruídos e corações feridos. A boa notícia é que Deus quer lhe dar exatamente a família que você deseja com tanta ansiedade. Ele pode fazer isso numa comunidade cristã.

À medida que aprendemos a amar, nossos pequenos grupos podem criar o senso de família necessário para confiarmos uns nos outros, aceitarmo-nos e servirmos mutuamente. Neles, aprenderemos o poder do amor incondicional, pois se destinam a ser o laboratório no qual o Espírito Santo nos dirigirá para amarmos profunda e firmemente (1Tessalonicenses 4.9; 1Pedro 1.22).

Como nossa família espiritual pode nos ensinar a amar?

Primeiramente, ensinando-nos a desenvolver relacionamentos saudáveis. Talvez tenhamos aprendido métodos doentios de relacionamentos em nossa família natural, mas numa comunidade de cristãos teremos bons modelos. Para que esses relacionamentos aconteçam, notaremos ser necessário haver honestidade, vulnerabilidade, esforço e grande quantidade de perdão.

Em segundo lugar, ensinando-nos a desenvolver o caráter — que costuma ser apreendido mais do que ensinado — semelhante ao de Cristo. Na comunidade cristã podemos observar os traços de caráter dos outros. Veremos exemplos de maturidade e imaturidade demonstrados, e talvez exponhamos a nossa enquanto todos crescemos juntos.

Em terceiro lugar, demonstrando a importância dos valores bíblicos. Nossos valores, adotados intencionalmente ou não, corretos ou errados, podem ser trazidos para o ambiente do pequeno grupo de cristãos para podermos compará-los aos padrões bíblicos num contexto de crenças cristãs maduras: "... os pais contam a tua fidelidade a seus filhos" (Isaías 38.19).

Talvez você já tenha tido a felicidade de conviver numa família com relacionamentos saudáveis em sua casa ou igreja. Mas há muitas pessoas que vêm de ambientes familiares instáveis. As próximas semanas trarão a oportunidade de você romper com o passado, pertencer a uma família amorosa e começar um relacionamento saudável, com caráter semelhante ao de Jesus e com valores bíblicos.

Esta é sua chance de escolher sua herança espiritual, que também transformará sua herança natural. Não perca esta oportunidade. Junte-se a seus irmãos e irmãs e aprenda a amar profundamente.

PARA PENSAR:
O amor precisa ser aprendido.

VERSÍCULO PARA MEMORIZAR:
... amem os irmãos...
1Pedro 2.17

QUESTÃO PARA CONSIDERAR:
Quão devotado você é à sua família da igreja?

Diário — Dia 5

Tema: Somos levados a amar
a família de Deus.

Dia 6
Porque é um ensaio para a eternidade

E a nossa preocupação é que vocês continuem assim mesmo, amando os outros enquanto a vida durar, a fim de que recebam a sua recompensa completa.
Hebreus 6.11 (BV)

A maior lição da vida é o amor.

Deus planejou a vida para que aprendamos a amar uns aos outros como ele nos ama. No momento, estamos em meio a um treinamento bastante sério. Deus está fazendo uso de toda dor e sofrimento, alegria e conforto, oposição e cooperação para nos transformar em pessoas capazes de amar profunda e completamente.

Deus deseja que sejamos semelhantes a ele: "Quem não ama não conhece a Deus, porque Deus é amor" (1João 4.8). Ele planejou que esta vida rompesse nossos laços egocêntricos a fim de que o outro seja o centro de nossa atenção.

O amor que estamos aprendendo a ter jamais morrerá: "O amor nunca perece..." (1Coríntios 13.8). É como se vivêssemos um período de treinamento que antecede um campeonato: estamos treinando como amar, aperfeiçoando nossas capacidades, preparando-nos para o céu.

É por isso que estamos passando pelos 40 Dias de Comunidade, concentrando-nos em amar uns aos outros; as marcas são enormes e durarão para sempre. Este é o propósito de Deus: "... fazer convergir em Cristo todas as coisas, celestiais ou terrenas, na dispensação da plenitude dos tempos" (Efésios 1.10). Sem dúvida, ficaremos surpresos no céu com o amor que fluirá de nós por toda a eternidade (Efésios 4.4).

Enquanto isso, devemos:

Amar urgentemente. "E a nossa preocupação é que vocês continuem assim mesmo, amando os outros enquanto a vida durar, a fim de que recebam a sua recompensa completa" (Hebreus 6.11, *BV*). Existe uma urgência sobre o aprendizado do amor porque hoje pode ser o nosso último dia na terra. Esta vida é transitória e a eternidade se aproxima. As oportunidades para expressarmos amor vêm e vão rapidamente; não podemos tê-las como certas. Um dia, nossas lições terrenas terminarão e amaremos durante toda a eternidade no céu.

Amar consistentemente. Enquanto vivermos, devemos continuar amando. Esse currículo de amor não é aprendido de uma só vez e depois abandonado. Deve ser estudado durante toda a vida, até sabermos que o abraçamos com o coração e a alma. Devemos habitar nessa vida de amor em que "Todo aquele que permanece no amor permanece em Deus, e Deus nele" (1João 4.16).

Amar com expectativa. Precisamos continuar amando até receber "a sua recompensa completa" (Hebreus 6.11, *BV*). A maior recompensa no céu será pelo amor, e os que amaram mais serão mais recompensados. Naqueles que amamos é que encontraremos nossa maior recompensa.

PARA PENSAR:
A maior lição da vida é o amor.

VERSÍCULO PARA MEMORIZAR:
E a nossa preocupação é que vocês continuem assim mesmo, amando os outros enquanto a vida durar, a fim de que recebam a sua recompensa completa.
Hebreus 6.11 (BV)

QUESTÃO PARA CONSIDERAR:
O que você pode fazer para amar com mais urgência, consistência e expectativa?

Diário — Dia 6

Tema: Somos levados a amar
a família de Deus.

Dia 7
Porque é um testemunho para o mundo

*... todos saberão que vocês são meus discípulos,
se vocês se amarem uns aos outros.*
João 13.35

O mundo todo está observando como é o amor que temos uns pelos outros.

Jesus deu ao mundo o direito de julgar a autenticidade de nossa fé através da maneira como nos amamos. Provamos a fé em Cristo não pelas regras a que obedecemos, mas pelo amor que dedicamos uns aos outros. Note que Jesus não disse: "Amem a mim", como prova de nosso discipulado. Ele disse: "Amem uns aos outros; isso demonstrará ao mundo que vocês me pertencem". O amor entre nós é um reflexo do amor de Deus, tangível e contagiante, que permite o testemunho do poder de vidas transformadas.

O melhor que podemos fazer para alcançar nossa comunidade para Cristo é amar. À medida que amamos pessoas no Reino de Deus, começamos a amar outros cristãos. Se o mundo não vir o amor de Deus exemplificado na comunidade cristã, terá dificuldades em acreditar que ele realmente existe. Quando nós nos preocupamos genuinamente com o outro, demonstramos o amor de forma tão tangível e contagiante que as pessoas não poderão resistir.

Quando formos observados, seremos vistos "... tendo o mesmo modo de pensar, o mesmo amor, um só espírito e uma só atitude" (Filipenses 2.2) e buscando o interesse dos outros (Filipenses 2.4). O mundo está desesperado por amor e senso de comunidade.

Devemos ser o sal (Mateus 5.13) que aumenta a sede de água viva (João 4.10). "Quem crer em mim, como diz a Escritura, do seu interior fluirão rios de água viva" (João 7.38).

Nosso amor mútuo demonstra nossa unidade com o Pai e também que a comunidade requer unidade — unidade sobre os propósitos da vida. Jesus disse a seu Pai: "para que todos sejam um [...] como tu estás em mim e eu em ti. Que eles também estejam em nós, para que o mundo creia que tu me enviaste" (João 17.21).

Isso significa que a influência de nossa igreja não acontece por causa do número de frequentadores, do prédio ou da programação. Nossa influência dentro da grande comunidade está baseada no amor que temos uns pelos outros. Fazemos uma declaração, a respeito de Deus, através do modo como nos amamos. Pode ser uma declaração positiva ou a mais negativa possível, o fato é que pessoas frequentemente formam sua opinião sobre Deus baseadas em nossa reputação: "Você pode ser a única imagem de Jesus que as pessoas virão", ou com base na reputação de nossas igrejas — como convivemos, sustentamos, criticamos ou amamos uns aos outros.

É inquietante, portanto, pensar que frequentemente somos conhecidos por nossa posição contra algumas coisas, em vez de por aquilo que deveríamos ser — as boas-novas sobre um amor tão largo, comprido, alto e profundo, que abrange mais do que qualquer um de nós jamais imaginaria (Efésios 3.18). Nossa comunidade, em união, deveria refletir a fé que temos no amor de Jesus Cristo. Nosso pequeno grupo foi idealizado para ser um ponto de amor e luz nas trevas de nossa comunidade. Devemos deixar nossa luz brilhar para que outros possam ver nossas boas ações e glorificar nosso Pai celestial (Mateus 5.16).

O mundo quer saber se as boas-novas de Jesus são verdadeiras. O versículo para ser decorado hoje, João 13.35, diz que o amor de uns pelos outros é a prova que o mundo está buscando. As pessoas estão mais impressionadas com nossas ações de amor mútuo que com nossas palavras. O modo como você ama fala sobre o amor de Deus; então, quão clara e alta tem sido sua voz?

PARA PENSAR:
O mundo todo observa como amamos
uns aos outros.

VERSÍCULO PARA MEMORIZAR:
*... todos saberão que vocês são meus discípulos,
se vocês se amarem uns aos outros.*
João 13.35

QUESTÃO PARA CONSIDERAR:
O que suas ações estão falando sobre o amor de Deus?
O que seu pequeno grupo diz sobre isso?

Diário — Dia 7

Tema: Somos chamados para juntos
alcançar outros.

INTENCIONALMENTE

Sejam sábios no procedimento para com os de fora; aproveitem ao máximo todas as oportunidades. O seu falar seja sempre agradável e temperado com sal, para que saibam como responder a cada um.
Colossenses 4.5,6

O amor preocupa-se com o destino de todos.

Se você soubesse qual a cura do câncer ou da aids e a mantivesse em segredo, mesmo com milhões de pessoas morrendo, estaria demonstrando amor? Claro que não. Se soubesse como aumentar a duração da vida humana em 50 anos, não compartilharia com outros? Naturalmente que sim. Como cristãos que já conhecem a vida eterna, temos uma mensagem ainda mais importante, duradoura e urgente para compartilhar com o mundo; o amor não nos dá escolha.

Como alcançar aqueles em nossa comunidade que não conhecem Cristo? Qual a melhor maneira, como pequeno grupo e igreja, de levar as boas-novas aos nossos amigos, parentes, vizinhos e colegas de trabalho? Para começar, precisamos ter a intenção de fazê-lo. Precisamos começar a nos preocupar com o destino eterno das pessoas que nos cercam, caso contrário, não investiremos tempo, oração e esforço para alcançá-las para Jesus. Manter silêncio enquanto muitos ao nosso redor vivem e morrem sem conhecer Cristo é cômodo, mas não é demonstração de amor.

O apóstolo Paulo foi um veterano em matéria de alcançar os que não criam porque se preocupava com o que Deus mais se preocupa: pessoas! Em 2Timóteo 2.10, ele afirma a profundidade de seu amor por aqueles que ainda não fazem parte da família de

Deus: "Por isso, tudo suporto por causa dos eleitos, para que também eles alcancem a salvação que está em Cristo Jesus, com glória eterna".

Em Colossenses 4.5,6, Paulo compartilha os quatro meios pelos quais podemos nos tornar mais assertivos em apresentar Jesus aos outros:

Primeiramente, diz: "Sejam sábios no procedimento" para com os que não têm fé em Deus ainda. Isso significa que tudo o que você diz e faz é testemunho a favor de Cristo ou contra ele. Se você declara ser seguidor de Cristo, será observado de perto por aqueles que não conhecem Jesus. Eles o observarão para saber como um cristão genuíno age — como lida com problemas, irritações, atrasos, desapontamentos e, especialmente, com os relacionamentos. Sua fé o faz sorrir para os outros? Você é otimista e encorajador? Quando as pessoas o decepcionam, você age com gentileza ou condenação? Quando se frustra, é rude e arrogante com outros ou educado e paciente? Todas essas respostas à vida são testemunho.

Em segundo lugar, Paulo diz: "aproveitem ao máximo todas as oportunidades". Para isso, você precisa estar atento a elas. Peça a Deus que abra seus olhos às ocasiões diárias que ele lhe dá para testemunhar sobre a diferença que Jesus Cristo tem feito em sua vida. Comece cada dia orando: "Jesus, ajude-me a ver e amar do jeito que o Senhor faria". Depois leia os evangelhos para aprender como Jesus interagia com as pessoas.

Fazer o melhor em todas as oportunidades requer viver em constante conexão com Cristo. Fale com ele durante seu dia. Isso aumentará sua sensibilidade com relação às necessidades espirituais das pessoas ao seu redor. Lembre-se de que Deus nunca fez uma pessoa a quem não amasse. A Bíblia diz que ele "... deseja que todos os homens sejam salvos e cheguem ao conhecimento da verdade" (1Timóteo 2.4).

A terceira maneira pela qual podemos ser mais positivos para alcançar outros é ter certeza de que nosso "falar seja sempre agradável e temperado com sal". Quando conhecemos a verdade, é tentador pregar e manipular com o evangelho. Mas, dessa maneira, as pessoas nunca virão para a família de Deus pelo falar. São atraídas pelo amor. Você nunca será persuasivo quando for áspero, mas se for gentil e gracioso.

Finalmente, Paulo diz que devemos estar prontos para responder a cada um. Ação que requer preparo e intencionalidade. Durante esta semana, vamos estudar como fazer isso. Esteja atento, preocupe-se e compartilhe com as pessoas o que Deus colocou em sua vida. Colossenses 4.5,6 é o texto de hoje para ser decorado. Se você comprometer-se a memorizá-lo, Deus o fará se lembrar de ser mais positivo em sua intenção.

PARA PENSAR:
Aproveite ao máximo cada oportunidade de compartilhar o evangelho.

VERSÍCULO PARA MEMORIZAR:
Sejam sábios no procedimento para com os de fora; aproveitem ao máximo todas as oportunidades. O seu falar seja sempre agradável e temperado com sal, para que saibam como responder a cada um.
Colossenses 4.5,6

QUESTÃO PARA CONSIDERAR:
Alguém estará no céu por sua causa?

Diário — Dia 8

Tema: Somos chamados para juntos
alcançar outros.

Por meio de pequenos grupos

*... [permaneçam] firmes num só espírito, lutando
unânimes pela fé evangélica.*
Filipenses 1.27

"Nós" é mais poderoso do que "eu".

Há mais força na parceria, principalmente se nos unimos para falar de Jesus ao mundo. Evangelização é sempre um trabalho de equipe, mesmo quando achamos que estamos nos esforçando sozinhos. A realidade é que quando levamos alguém a Cristo, essa pessoa já recebeu a influência do Espírito Santo em sua vida — bem como a influência de outros cristãos, direta ou indiretamente. Paulo escreveu: "Eu plantei, Apolo regou, mas Deus é quem fez crescer" (1Coríntios 3.6).

Devemos trabalhar como "cooperadores de Deus" (1Coríntios 3.9), porque "maior é a recompensa do trabalho de duas pessoas" (Eclesiastes 4.9). Este é o valor dos pequenos grupos: permitir que trabalhemos lado a lado num esforço de levar nossos amigos e familiares a Cristo. Como aqueles quatro amigos que levaram o paralítico até Jesus (Marcos 2.1-12), podemos concentrar nossas forças e encorajar uns aos outros para trazer nossos amigos à presença dele.

De fato, se você nunca experimentou o privilégio e a alegria de ajudar alguém a se aproximar de Cristo, hoje pode ser a grande virada em sua vida — entusiasme-se por poder ajudar alguém a vir até Jesus como parte do esforço do grupo. Você não tem de fazer tudo sozinho; Deus planejou que trabalhássemos juntos, lado a lado.

O primeiro passo a ser dado em seu pequeno grupo é a oração conjunta. Antes de começar a testemunhar, é preciso orar. Não se pode orar pelas pessoas sem se interessar por elas. Aqui estão quatro sugestões de como seu grupo pode orar por amigos e familiares não-cristãos:

Ore por oportunidades de falar sobre Jesus (Colossenses 4.3). Peça a Deus que lhe dê oportunidade de contar aos outros sobre Jesus e de convidá-los a ir à igreja. Não duvide disso — Deus responderá essa oração!

Peça a Deus que prepare o coração daqueles que você tentará alcançar. Sabe como Deus amolece corações? Mandando chuva. Toda vez que você vir alguém atravessando uma tempestade em sua vida, saiba que Deus está amolecendo o coração dessa pessoa.

Clame para Deus amolecer seu coração. Diga: "Serei honesto, Senhor. Não me preocupo muito com outras pessoas. Preocupo-me mais comigo. Penso em meus planos, em minhas prioridades e em minha família". Logo, Deus preencherá seu coração com um "fardo" — termo um pouco antigo, mas que significa que seu coração se voltará para outras pessoas.

E, finalmente, ore "... para que a palavra do Senhor se propague rapidamente e receba a honra merecida, como aconteceu entre vocês" (2Tessalonicenses 3.1), exatamente como entre os cristãos do primeiro século.

Seja criativo ao convidar as pessoas pelas quais estiver orando: faça um churrasco, convide-as para assistir a um filme, organize uma noite de jogos, chame-a para uma sobremesa — as possibilidades são ilimitadas. A Bíblia diz: "Sejam sábios no procedimento para com os de fora; aproveitem ao máximo todas as oportunidades" (Colossenses 4.5).

Aqui está uma oração que você e seu grupo podem usar: "Pai, queremos que use nosso grupo para alcançar mais um para Jesus.

Desenvolva em nós uma preocupação pelas pessoas que não conhecem Jesus e nos mova a orar constantemente pela salvação delas. Sabemos que o Senhor pagou um alto preço para nos colocar em sua família, e concordamos que ninguém está longe demais do alcance do seu amor. Guia-nos para que alcancemos outros em seu nome e dê-nos criatividade nos métodos para isso. Pai, pela fé pedimos que neste próximo ano nosso pequeno grupo seja capaz de alcançar 20 pessoas para o Senhor. Oramos em nome de Jesus. Amém".

PARA PENSAR:
"Nós" é mais poderoso do que "eu".

VERSÍCULO PARA MEMORIZAR:
... [permaneçam] firmes num só espírito, lutando unânimes pela fé evangélica.
Filipenses 1.27

QUESTÃO PARA CONSIDERAR:
Quem são os amigos e familiares por quem o grupo pode começar a orar agora?

Diário — Dia 9

Tema: Somos chamados para juntos
alcançar outros.

SENDO HOSPITALEIROS

Sejam mutuamente hospitaleiros, sem reclamação.
1Pedro 4.9

Coração aberto nos leva a ter lares abertos.

A hospitalidade não é só uma opção para os cristãos. É um mandamento (Isaías 58.6-9; Lucas 14.12-14). Recebemos a ordem de praticar a hospitalidade — considerando desde o exemplo do patriarca Abraão, que viu se aproximar dele três visitantes santos (Gênesis 18), até o sábio conselho deixado pelo apóstolo Paulo (Romanos 12.13).

Para determinadas pessoas, a hospitalidade é algo tão natural como respirar. Para outros, a prática é uma conquista. Para todos, é um dom a ser cultivado (1Pedro 4.9).

O ministério de Cristo para este mundo depauperado, cativo, cego e oprimido deve ser, de um modo ou de outro, o nosso ministério também (Lucas 4.18,19). Muitos entre nós receberam esta ferramenta notável para exercer o ministério — o milagre de um lar cristão. Se os cristãos abrissem suas casas e praticassem a hospitalidade como determinado pelas Escrituras, poderíamos modificar a estrutura da sociedade de forma significativa. Poderíamos desempenhar um papel importante na redenção espiritual, moral e emocional.

Pense no impacto que a igreja teria na sociedade se apenas quatro ou cinco famílias de cada congregação cuidassem de algumas crianças, nutrindo-as com amor e levando-as a Cristo. Se uma área urbana possuísse umas cem igrejas, 400 ou 500 crianças, no mínimo, acabariam sendo envolvidas.

Muitas pessoas que dizem seguir a Cristo não compreendem as bases do que é hospitalidade. Acabamos por permitir que a sociedade imponha sobre nós o seu modelo. O entretenimento diz: "Quero impressionar você com minha bela casa, com a decoração e com a maravilhosa comida que sei preparar". A hospitalidade, no entanto, diz: "Esta casa, na verdade, não é minha. É uma dádiva do meu Mestre. Sou seu servo e a uso como ele deseja". A hospitalidade não tenta impressionar, mas servir.

O entretenimento privilegia as coisas materiais: "Assim que eu terminar minha casa, decorar a sala de visitas e deixar tudo em ordem e arrumado, vou começar a receber pessoas"; "Fulano e Ciclano estão vindo, preciso comprar isso e aquilo antes que cheguem". A hospitalidade privilegia as pessoas: "Não temos cadeiras, mas podemos nos sentar no chão".

O entretenimento declara: "Tudo isto é meu — os quartos, os enfeites... Olhem, por favor, podem admirar". A hospitalidade sussurra: "O que é meu é seu" (Atos 2.44). Ela deixa o orgulho de lado e não se preocupa se outras pessoas virem nossa humanidade. Pelo fato de não termos pretensões, as pessoas sentem-se à vontade, e talvez se tornem nossas amigas.

A igreja de hoje precisa mergulhar em hospitalidade não egoísta, amorosa e cheia de aceitação. Se não desenvolvermos um verdadeiro espírito de aceitação em nossas igrejas-família, a hospitalidade que oferecermos ao mundo será hipócrita. Quando nosso lar e nossa igreja forem o que Deus pretende que sejam, será natural abrirmos as portas para os que nos rodeiam.

É espantoso saber que muito poucos cristãos já tiveram acesso à vida de seus vizinhos, que são parte da herança que nosso Pai deseja que administremos. Poucos entre nós estão tentando encontrar meios de servi-los e estender-lhes misericórdia. Frequentemente, nosso cristianismo oficial e nossos compromissos nos tornam menos acessíveis, em vez de mais disponíveis.

Se os cristãos, corporativamente, começassem a praticar a hospitalidade, poderíamos desempenhar papéis significativos na redenção da nossa sociedade. Não existe melhor lugar para tratar de redenção da sociedade do que um lar cristão que deseja servir; quanto mais lidarmos com o cativo, o cego, o oprimido, mais nos conscientizaremos de que, neste mundo inóspito, um lar cristão é um milagre que deve ser compartilhado.

No *Dicionário Houaiss*, a palavra "hospitaleiro" aparece próxima às palavras "hospício", um abrigo, e "hospital", um lugar de cura. Em resumo, é o que podemos oferecer quando abrimos nossa casa com o verdadeiro espírito de hospitalidade: abrigo e cura.

A seguir, algumas sugestões práticas sobre hospitalidade:
- Peça a presença de Deus quando você abrir sua casa.
- Procure descobrir quais hábitos o impedem de ser mais hospitaleiro.
- Avalie seus dons e como usá-los para a hospitalidade.
- Receba um pequeno grupo em sua casa para estudar a Bíblia.
- Junte-se a alguém e preparem um jantar para os amigos.
- Hospede um adolescente problemático.

PARA PENSAR:
Coração aberto nos leva a ter lares abertos.

VERSÍCULO PARA MEMORIZAR:
Sejam mutuamente hospitaleiros, sem reclamação.
1Pedro 4.9

QUESTÃO PARA CONSIDERAR:
Você recebeu algum vizinho em casa ultimamente?

Adaptado de *Open Heart, Open Home: The Hospitable Way to Make Others Feel Welcome & Wanted*, Karen Mains. Copyright ©1997 de Karen Mains. Usado com permissão de InterVarsity Press, P.O. Box 1400, Downers Grove, IL 60515. www.ivpress.com.

Diário — Dia 10

Tema: Somos chamados para juntos
alcançar outros.

Demonstrando aceitação

Portanto, aceitem-se uns aos outros, da mesma forma que Cristo os aceitou, a fim de que vocês glorifiquem a Deus.
Romanos 15.7

Devemos aceitar os outros como Jesus nos aceita.

Apesar de tudo o que temos de ruim, Jesus demonstrou "... seu amor por nós [morrendo] em nosso favor quando ainda éramos pecadores" (Romanos 5.8). Ele nos aceita como filhos amados (Efésios 1.5), a despeito de nossa vida desordenada, das motivações impuras e das atitudes irritantes. Sua aceitação não fecha os olhos ao nosso pecado, mas reconhece que somos obra de arte criada por Deus — cada um de nós é único, moldado como filho de Deus, criado para um propósito específico (Efésios 2.10).

Uma das maneiras de demonstrar amor uns aos outros é aceitando-nos mutuamente, como Cristo nos aceita (Romanos 15.7). Isso glorifica a Deus.

O "outro" deve ser também aquele que não crê, pois, mesmo sendo pecador, Cristo morreu por ele: "... como haveria eu de julgar os de fora da igreja?" (1Coríntios 5.12). Isso não significa que devemos ignorar o pecado. A rejeição pelos de fora da igreja está baseada em medo e preconceito, porque achamos que eles têm de ser iguais a nós para poderem estar em nossa companhia.

Jesus não temia ser amigo dos não-cristãos (Lucas 19.7). Ele não focalizava o pecado passado, mas a pessoa, como Deus queria que fosse ao criá-la. Jesus entendia que aceitá-la não é o mesmo que aceitar seus pecados. Como se costuma dizer: "Ame o pecador e não o pecado". Um dos melhores exemplos está na história de Zaqueu, o cobrador de impostos (Lucas 19.1-10). Nesse encontro aprendemos algumas características do tipo de aceitação que Jesus tinha:

Primeiro, não importa onde você esteja, Jesus irá a seu encontro. Precisamos aceitar os não-cristãos a despeito das circunstâncias em que vivem — olhar para eles como Jesus olha: com amor. Jesus sabe de todas as coisas que já fizeram, tudo o que disseram ou pensaram, e ainda assim os ama e aceita. Devemos agir da mesma forma!

Uma das expressões mais profundas de amor é a aceitação. Demonstramos o amor de Deus aos descrentes quando passamos tempo com eles. O tempo é uma dádiva preciosa porque é algo que não pode ser recuperado. Há pessoas que estão fazendo de tudo para receber atenção, desesperadas por alguém que lhes dedique um pouco de tempo. Precisam saber que Deus se importa com elas e as criou deliberadamente, e para um propósito.

Em segundo lugar, não importa do que as pessoas o têm chamado. Mesmo com todos chamando Zaqueu de pecador, Jesus o chamou pelo nome e estendeu-lhe sua amizade. Essa oferta de amizade mudou o coração de Zaqueu. Jesus quer que façamos o mesmo. O Senhor deseja que alcancemos o perdido com amor e aceitação. Quer que o vejamos como ele o vê e o tragamos para os propósitos do Reino de Deus por meio do amor genuíno e da amizade.

Em terceiro lugar, não importa o que você já tenha feito, Jesus não o rejeitará. Bom comportamento nunca foi pré-requisito para amizade com Jesus. Ele ama e aceita as pessoas, apesar do que já tenham feito. Jesus está muito mais interessado em nos mudar do que em nos condenar.

Zaqueu deve ter pensado que não era bom o suficiente para convidar Jesus para ir à sua casa, mas Jesus já havia pensado nisso. Não importam quais tenham sido suas ações, Jesus ainda diz: "Todo aquele que o Pai me der virá a mim, e quem vier a mim eu jamais rejeitarei" (João 6.37). Jesus não apenas tem um propósito e um plano para sua vida, como também tem um plano e um propósito para aqueles que ainda não creem nele. É por isso que deseja que alcancemos e acolhamos outros na família de Deus.

PARA PENSAR:
Deus quer que aceitemos os outros como Jesus nos aceita.

VERSÍCULO PARA MEMORIZAR:
Portanto, aceitem-se uns aos outros, da mesma forma que Cristo os aceitou, a fim de que vocês glorifiquem a Deus.
Romanos 15.7

QUESTÃO PARA CONSIDERAR:
Quem é a última pessoa a sua volta que você esperaria tornar-se cristã? Como demonstrar-lhe aceitação e construir uma ponte até Cristo?

Diário — Dia 11

TEMA: SOMOS CHAMADOS PARA JUNTOS
ALCANÇAR OUTROS.

CONSTRUINDO AMIZADES

Tenham uma mesma atitude uns para com os outros. Não sejam orgulhosos, mas estejam dispostos a associar-se a pessoas de posição inferior. Não sejam sábios aos seus próprios olhos.
Romanos 12.16

Em nome de Cristo nós pedimos a vocês que deixem que Deus os transforme de inimigos em amigos dele.
2Coríntios 5.20b (NTLH)

Essa é a mensagem que devemos transmitir ao mundo, mas se só temos amigos cristãos ficamos limitados na tarefa de compartilhar as boas-novas. Por outro lado, Jesus entendeu que sua missão era buscar o perdido e por isso fez amizade com aqueles que precisavam ser amigos de Deus.

A Bíblia diz que quando os fariseus viram Jesus em companhia de pessoas sem reputação, perguntaram:

"Por que o mestre de vocês come com publicanos e 'pecadores'?". Ouvindo isso, Jesus disse: "Não são os que têm saúde que precisam de médico, mas sim os doentes. Vão aprender o que significa isto: 'Desejo misericórdia, não sacrifícios'. Pois eu não vim chamar justos, mas pecadores." (Mateus 9.11-13).

Jesus sabia qual era seu propósito e isso o permitiu ficar à vontade em companhia dos não-cristãos. Não se preocupava quando era acusado de ser amigo de pecadores (Lucas 19.7), porque ele estava fazendo exatamente o que o Pai o havia enviado para fazer: persuadir homens e mulheres a se reconciliar com Deus (2Coríntios 5.20).

Da mesma forma, Jesus quer que sejamos seus representantes, falando aos que ainda estão fora de sua família. Apesar disso, há muitos cristãos tão isolados e desconectados dos não-cristãos que raramente têm uma conversa significativa com um deles. Quanto mais tempo de vida cristã temos, mais nos isolamos dos não-cristãos; e, quanto mais isolados deles, mais incomodados nos sentimos em sua companhia. No fim, não temos mais amizade com quem Jesus quer que alcancemos.

Jesus entende que nosso testemunho aos não-cristãos começa com amizade: conquistamos o direito de compartilhar o evangelho por meio do relacionamento. A questão é: pessoas não se importam com quanto você sabe, até que saibam quanto você se importa. Os não-cristãos, como muitos de nós, estão buscando amizades profundas, verdadeiras e incentivadoras.

O apóstolo Paulo disse que devemos tentar achar um "ponto em comum" com os não-cristãos, para que assim possamos falar de Cristo: "Faço tudo isso por causa do evangelho, para ser coparticipante dele" (1Coríntios 9.23). Buscar um ponto em comum expressa uma atitude de amizade, na qual nos concentramos no que é positivo, naqueles afastados da fé.

Quando Jesus começou a falar com a mulher perto do poço (João 4.4-26), procurou um ponto em comum em vez de condená-la. Como resultado, ela não apenas se reconciliou com Deus, mas também levou seus amigos e familiares à presença de Jesus. Vemos nesse acontecimento um exemplo de que nossa amizade com os não-cristãos requer entendermos as diferenças entre amá-los e amar o que fazem.

Em João 3.16, lemos: "Porque Deus tanto amou o mundo que deu o seu Filho Unigênito...". Fica claro que Deus ama as pessoas — as pessoas do mundo —, mas isso não é o mesmo que amar os valores do mundo. A Bíblia diz: "Não amem o mundo nem o que nele há. Se alguém ama o mundo, o amor do Pai não está nele" (1João 2.15).

A construção de amizades requer:

- Cortesia: "O seu falar seja sempre agradável e temperado com sal, para que saibam como responder a cada um" (Colossenses 4.6).
- Frequência: passe tempo com os não-cristãos a fim de fazer amizade com eles.
- Autenticidade: "O amor deve ser sincero. Odeiem o que é mau; apeguem-se ao que é bom" (Romanos 12.9).

PARA PENSAR:
Ame as pessoas do mundo, mas não os valores do mundo.

VERSÍCULO PARA MEMORIZAR:
Tenham uma mesma atitude uns para com os outros. Não sejam orgulhosos, mas estejam dispostos a associar-se a pessoas de posição inferior. Não sejam sábios aos seus próprios olhos.
Romanos 12.16

QUESTÃO PARA CONSIDERAR:
Você tem amizades significativas com não-cristãos?

Diário — Dia 12

TEMA: SOMOS CHAMADOS PARA JUNTOS
ALCANÇAR OUTROS.

AJUDANDO DE MANEIRA PRÁTICA

*Filhinhos, não amemos de palavra nem de boca,
mas em ação e em verdade.*
1João 3.18

Pessoas sabem que as amamos quando demonstramos.

Jesus parou. Parou quando as pessoas precisavam de ajuda, conforto, proteção e respostas às suas perplexidades. Ele encarava as interrupções em sua vida como oportunidades divinas para mostrar o amor de Deus aos que estavam em necessidade desesperadora.

Sua atitude com relação ao amor é: primeiro mostre, depois fale. Ele definiu *amor* como ir ao encontro das necessidades. Quando as pessoas eram tocadas por ele, diziam: "Um grande profeta se levantou entre nós" e "Deus interveio em favor do seu povo" (Lucas 7.16).

Jesus expressou seu amor por meio de ações. Ele nos chamou para sermos ativos, mas nunca desejou que ficássemos tão ocupados em salvar o mundo que ignorássemos as interrupções daqueles que estão precisando. Como o Bom Samaritano, Jesus nos quer prontos a deixar nossos compromissos a fim de ajudar alguém necessitado (Lucas 10.25-37). A Bíblia diz: "Se alguém tiver recursos materiais e, vendo seu irmão em necessidade, não se compadecer dele, como pode permanecer nele o amor de Deus?" (1João 3.17).

Jesus demonstrou que fé e serviço andam juntos. Quando a mulher de má reputação ungiu seus pés com um perfume caro e os lavou com suas lágrimas, enxugando-os com os cabelos, Jesus lhe disse: "Sua fé a salvou; vá em paz" (Lucas 7.50). Serviço era um reflexo de sua fé em Deus.

Quando os discípulos de João Batista perguntaram a Jesus se ele era realmente o Cristo, sua resposta apontou para seu trabalho:

> "Voltem e anunciem a João o que vocês viram e ouviram: os cegos veem, os aleijados andam, os leprosos são purificados, os surdos ouvem, os mortos são ressuscitados e as boas novas são pregadas aos pobres" (Lucas 7.22).

Como Tiago mais tarde ensinou, devemos ser praticantes da Palavra e não somente ouvintes:

> De que adianta, meus irmãos, alguém dizer que tem fé, se não tem obras? Acaso a fé pode salvá-lo? Se um irmão ou irmã estiver necessitando de roupas e do alimento de cada dia e um de vocês lhe disser: "Vá em paz, aqueça-se e alimente-se até satisfazer-se", sem porém lhe dar nada, de que adianta isso? Assim também a fé, por si só, se não for acompanhada de obras, está morta (Tiago 2.14-17).

Por outro lado, amputamos o corpo de Cristo, cortamos seus braços e pernas de forma a restar apenas uma grande boca: "Que coisa esquisita seria um corpo, se tivesse um único membro!" (1Coríntios 12.19, *BV*). Francisco de Assis escreveu: "Preguem o evangelho. Se necessário, usem palavras".

Ao demonstrar nosso amor, nenhuma tarefa deve ser considerada menor. Jesus especializou-se em serviços que muitas pessoas tentavam evitar: lavar os pés, ajudar crianças, preparar o café da manhã e servir os leprosos. Nada o rebaixava porque seu trabalho era fruto do amor.

Jesus disse que nossos atos de amor devem ser bem práticos; mesmo oferecer um copo de água no nome dele é um ato de amor (Mateus 10.42). Há muitas necessidades no mundo. Talvez você possa satisfazer algumas delas:

- Ajudar alguém a limpar a casa.
- Tomar conta do filho de um vizinho.
- Levar comida para um preso.
- Cuidar de um doente.
- Começar a perguntar: "Como eu posso servi-lo hoje?"

Nós servimos a Deus quando servimos aos outros, e servimos melhor juntos (Eclesiastes 4.9). Reflita sobre como seu pequeno grupo pode trabalhar unido para ajudar alguém ao seu redor.

PARA PENSAR:
Pessoas sabem que as amamos quando demonstramos o nosso amor.

VERSÍCULO PARA MEMORIZAR:
Filhinhos, não amemos de palavra nem de boca, mas em ação e em verdade.
1João 3.18

QUESTÃO PARA CONSIDERAR:
Com quem você pode compartilhar o amor de Cristo de maneira prática hoje?

Diário — Dia 13

Tema: Somos chamados para juntos
alcançar outros.

Dia 14 — REPRESENTANDO JESUS

Tudo o que fizerem, seja em palavra ou em ação, façam-no em nome do Senhor Jesus, dando por meio dele graças a Deus Pai.
Colossenses 3.17

... já não sou eu quem vive, mas Cristo vive em mim.
Gálatas 2.20

Como cristãos, nosso papel na vida mudou. Não temos mais a responsabilidade de buscar nossos próprios interesses. Nossa tarefa agora é representar os interesses de Jesus. Temos de ser sua face, suas mãos e pés — para agir por ele na vida de outras pessoas. Representamos Jesus no hospital, no funeral, na cerimônia de casamento. Representamos Jesus quando conversamos com um vizinho.

Não somos deste mundo, mas estamos nele. Atuamos como embaixadores de Cristo (2Coríntios 5.14-21). Servimos segundo a vontade do Rei Jesus. Trabalhamos como porta-vozes e servos do Reino de Deus — sempre preparados para explicar a esperança que temos (1Pedro 3.15), e nos lembrando de que este mundo não é o nosso lar (1Pedro 2.11).

Alcançamos os que não creem vivendo de tal forma que os faça perguntar sobre o Rei que representamos. Como embaixadores de Cristo, esforçamo-nos para entender a cultura a fim de poder traduzir a mensagem de Jesus para que compreendam os mandamentos e as diretrizes da sua graça.

Nosso trabalho é mais do que um simples emprego; é nosso mais alto chamado. Contudo, para sermos embaixadores fiéis,

DIA 14

temos de tomar uma decisão muito importante, porém simples: queremos impressionar ou influenciar os não-cristãos? Se nosso objetivo é impressioná-los, então podemos fazê-lo à distância, mas isso talvez acabe os distanciando também o Reino de Deus. Se queremos influenciar aqueles que ainda não creem em Jesus, temos de nos aproximar o suficiente para que vejam nossos erros e fragilidades, e isso também será o meio pelo qual verão nossa fé como algo real e necessário.

Você acha que Deus quer impressionar os não-cristãos ou influenciá-los?

Veja algumas sugestões de como expandir sua influência como representante de Jesus:

- Sorria. A Bíblia diz que um olhar amigável traz alegria ao coração (Provérbios 15.30). Você pode influenciar com um simples sorriso.
- Seja simpático. Forneça apoio emocional e incentivo às pessoas estressadas. "[Deus] nos consola em todas as nossas tribulações, para que, com a consolação que recebemos de Deus a, possamos consolar os que estão passando por tribulações" (2Coríntios 1.4).
- Sirva. Quanto mais você servir em amor aos outros, mais os influenciará. O apóstolo Paulo escreveu: "... embora seja livre de todos, fiz-me escravo de todos, para ganhar o maior número possível de pessoas" (1Coríntios 9.19).
- Fale. Ser representante de Cristo requer coragem; temos de fazer as pessoas saberem no que cremos. Seu amor não apenas nos constrange a explicar nossa fé, como também, algumas vezes, nos leva a confrontar o mau comportamento dos outros. "Assim o digam os que o Senhor resgatou, os que livrou das mãos do adversário" (Salmo 107.2).

- Sacrifique-se. "quanto mais o sangue de Cristo, que pelo Espírito eterno se ofereceu de forma imaculada a Deus, purificará a nossa consciência de atos que levam à morte, para que sirvamos ao Deus vivo!" (Hebreus 9.14). Grandes sacrifícios equivalem a grande influência. Isso significa que sua influência só aumentará quando você sair da zona de conforto. Se seus sacrifícios podem mudar o mundo, não é compensador?

Faça esta oração hoje: "Deus, eu quero ser seu representante. Quero que o Senhor use minha vida para influenciar todas as pessoas com quem eu tiver contato hoje. Quero mostrar a profundeza e a amplitude de seu amor".

PARA PENSAR:
Não vivemos mais, mas Cristo vive em nós.

VERSÍCULO PARA MEMORIZAR:
Tudo o que fizerem, seja em palavra ou em ação, façam-no em nome do Senhor Jesus, dando por meio dele graças a Deus Pai.
Colossenses 3.17

QUESTÃO PARA CONSIDERAR:
Como você pode ser um representante fiel de Jesus no mundo hoje?

DIA 14

Diário — Dia 14

Tema: Somos escolhidos para ter comunhão.

Dia 15
Admitindo nossas necessidades uns aos outros

... em Cristo nós, que somos muitos, formamos um corpo, e cada membro está ligado a todos os outros.
Romanos 12.5

Precisamos uns dos outros.

Em 2004, foram divulgadas notícias sobre Jim Sulkers, um morador de Winnipeg, Manitoba (Canadá), que morreu em sua cama e ficou lá durante dois anos antes de algum vizinho descobrir seu corpo. O homem morou ali durante vinte anos, mas ninguém sentiu sua falta.

Por que relutamos tanto em admitir nossas necessidades uns para os outros? Há pelo menos duas fortes razões:

Primeira: nossa cultura exalta o individualismo. Admiramos os independentes, autossuficientes, que parecem viver bem por si sós. Mas a triste verdade é que, apesar dessa confiança aparente, normalmente a pessoa é insegura, com um coração cheio de dor. A solidão é a doença mais comum neste mundo, e, ainda assim, continuamos a construir muros em vez de pontes entre nós.

Segunda: somos orgulhosos. Muitas pessoas, especialmente os homens, sentem que pedir ajuda ou expressar uma necessidade é sinal de fraqueza. Mas não há nada de vergonhoso no fato de precisarmos dos outros. Deus nos formou assim! Ele quer que seus filhos dependam uns dos outros.

Estudando *Uma Vida com Propósitos* (**Vida, 1998**), aprendemos que Deus planejou que desfrutássemos a vida juntos. (Se você ainda não leu esse livro, é importante que o faça). Fomos moldados para relacionamentos dentro da família de Deus e criados para uma vida em comunidade. Não é da vontade dele atravessar a vida sozinhos. Mesmo no ambiente perfeito do jardim do Éden, disse: "Não é bom que o homem esteja só" (Gênesis 2.18).

Deus odeia a solidão. Isso não significa que todos têm de se casar. Significa, sim, que precisamos de uma família espiritual e é por isso que ele criou a Igreja. Quando Deus o salvou e o adotou para ser de sua família, entrelaçou sua vida à de outros cristãos. Você não é somente um cristão, você pertence a alguém. "... vocês são o corpo de Cristo, e cada um de vocês, individualmente, é membro desse corpo" (1Coríntios 12.27).

A palavra *corpo* é frequentemente usada para descrever um grupo de pessoas ligadas por um propósito. Na escola, você faz parte do corpo de estudantes. Os políticos eleitos formam o corpo legislativo. Mas quando Deus chama a igreja de "corpo de Cristo", tem o corpo humano em mente, onde cada parte é interligada e interdependente: "assim também em Cristo nós, que somos muitos, formamos um corpo, e cada membro está ligado a todos os outros" (Romanos 12.5).

Como partes de um corpo vivo, é impossível para o cristão manter a vida sem os outros. Portanto, "O olho não pode dizer à mão: 'Não preciso de você!'. Nem a cabeça pode dizer aos pés: 'Não preciso de vocês!' " (1Coríntios 12.21).

Você precisa estar em comunhão com uma igreja para sobreviver espiritualmente. Mais do que isso, você precisa fazer parte de um pequeno grupo de pessoas, no qual poderá amar e ser amado, servir e ser servido, compartilhar o que está aprendendo e aprender com os outros. Você não consegue fazer isso tudo em meio a uma multidão.

Porque fomos chamados por Deus para ter comunhão juntos, durante esta semana veremos como construir um senso de comunidade com irmãos e irmãs, na família de Deus. O primeiro passo é admitir que precisamos uns dos outros, como se nossa vida espiritual dependesse dos outros — porque depende.

"Dediquem-se uns aos outros com amor fraternal. Prefiram dar honra aos outros mais do que a si próprios" (Romanos 12.10). Viver em comunidade requer humildade. Precisamos nos lembrar continuamente de que pertencemos um ao outro e precisamos uns dos outros. Decore Romanos 12.5. Vai ajudá-lo a lembrar-se disso.

PARA PENSAR:
Preciso dos outros cristãos e eles precisam de mim.

VERSÍCULO PARA MEMORIZAR:
... em Cristo nós, que somos muitos, formamos um corpo, e cada membro está ligado a todos os outros.
Romanos 12.5

QUESTÃO PARA CONSIDERAR:
O que está impedindo você de assumir um compromisso mais profundo com seu pequeno grupo?

Diário — Dia 15

Tema: Somos escolhidos para ter comunhão.

Dia 16
COMPROMETENDO-NOS UNS COM OS OUTROS

*... esforcemo-nos em promover tudo quanto conduz
à paz e à edificação mútua.*
Romanos 14.19

Comunidade se forma por meio de compromisso.

Numa comunidade cristã saudável, todos se comprometem a amar uns aos outros, trabalhar juntos e manter-se unidos. A Bíblia diz: "O fruto da justiça semeia-se em paz para os pacificadores" (Tiago 3.18).

Isso ultrapassa a superficialidade, pois abandona a abordagem "cada um por si" e alcança boa convivência com os outros. Significa que valorizamos cada indivíduo de nosso pequeno grupo, pois entendemos que cada um foi criado por Deus e é recipiente de sua graça, que assumimos um compromisso de realmente participar da vida um do outro, pois fomos "... chamados para viver em paz, como membros de um só corpo." (Colossenses 3.15).

Deus nos criou para esse tipo de compromisso; ele está comprometido conosco e espera que nos comprometamos com ele e uns com os outros (2Coríntios 8.5). É plano de Deus que definamos nossa vida por meio de compromissos: casamento, filhos, trabalho, igreja.

Construir uma comunidade comprometida leva tempo: temos de conviver além de encontros semanais e fazer de "uns aos outros" uma prioridade — compartilhando a vida enquanto tomamos um cafezinho, depois do trabalho, num campo de futebol, no hospital;

avançar numa amizade superficial e tornar-se "amigo mais apegado que um irmão" (Provérbios 18.24). Devemos focalizar a qualidade de nossos relacionamentos e não a quantidade. Não precisamos ter muitos amigos nesta vida, mas alguns poucos e bons.

Comprometer-se significa:

- Amar, não importa o que aconteça. Devemos amar e apoiar uns aos outros continuamente e não apenas quando for conveniente (Provérbios 17.17); devemos amar todas as pessoas, mesmo quando errarem, e não apenas quando as consideramos amáveis (Romanos 5.8).
- Estar presente. Um sinal básico de compromisso é simplesmente aparecer. Nossa mera presença é fonte de encorajamento (Hebreus 10.25), mas estar presente significa também estar ativamente engajado na vida dos outros. Jim Elliot, missionário martirizado, disse certa vez: "Onde quer que estiverem, estejam todos lá".
- Auxiliar. Deus deu a cada um habilidades especiais com o propósito de que as compartilhássemos mutuamente: "A cada um, porém, é dada a manifestação do Espírito, visando ao bem comum" (1Coríntios 12.7). Nossa igreja e nosso pequeno grupo ficam empobrecidos se não usamos liberalmente nossos dons espirituais, visando ao bem comum. Compromisso significa que nos reconhecemos como partes que trabalham juntas num grande corpo (Romanos 12.4,5).

Com quem ou com o quê você assumiu compromisso? Você já se aproximou de alguém, que não seu cônjuge, para afirmar: "Quero que saiba que estarei a seu lado para o que der e vier"? Já assumiu conscientemente um compromisso com alguém dizendo: "Quero fazer nossa amizade crescer"? Que tal fazer isso em seu pequeno grupo nesta semana?

PARA PENSAR:
Comunidade se forma por meio de compromisso.

VERSÍCULO PARA MEMORIZAR:
... esforcemo-nos em promover tudo quanto conduz à paz e à edificação mútua.
Romanos 14.19

QUESTÃO PARA CONSIDERAR:
Se você perguntasse a um amigo próximo com o quê ou com quem você está comprometido, o que ele responderia?

Diário — Dia 16

Tema: Somos escolhidos para ter comunhão.

Respeitando uns aos outros

Prefiram dar honra aos outros mais do que a si próprios.
Romanos 12.10b

Respeito começa com uma perspectiva divina.

Significa olharmos uns para os outros sob o ponto de vista de Deus, como criaturas eternas (João 3.16) escolhidas por ele "... para anunciar as grandezas daquele que os chamou das trevas para a sua maravilhosa luz" (1Pedro 2.9), e também olhar uns para os outros como "... herdeiros de Deus e co-herdeiros com Cristo" (Romanos 8.17).

Respeitar denota constantemente nos lembrarmos de que, em breve, compartilharemos o céu com aqueles que agora estão em nosso pequeno grupo e na igreja — e com os que temos dificuldade de respeitar: "... Deus estruturou o corpo dando maior honra aos membros que dela tinham falta" (1Coríntios 12.24).

Uma expressiva demonstração de respeito é o simples ouvir. Fazemo-nos presentes e abrimos os ouvidos para escutar os corações feridos e angustiados, os sonhos e desejos mais profundos uns dos outros. O Deus do universo ouve todas as nossas orações; Jesus ouviu aqueles que o rodearam; devemos ouvir nossos irmãos e irmãs em Cristo.

Esse ouvir significa que não nos apressaremos para tentar corrigir os fatos, nem apresentaremos respostas rápidas. Respeitamos os outros o suficiente para deixá-los compartilhar a história toda.

Algumas vezes, tudo o que precisamos é alguém que ouça o que temos no coração. Respeitar significa dizer que confiamos nos outros, em vez de presumir que agirão errado ou não farão melhor do que faríamos (Filipenses 2.3).

Também demonstramos respeito pelo modo como falamos dos outros quando não estão por perto. Nada destrói um relacionamento mais rapidamente do que a fofoca (Provérbios 16.28). A fim de agirmos com respeito, devemos fazer qualquer coisa para proteger a reputação e a dignidade de nossos irmãos e irmãs em Cristo, em vez darmos razão à fofoca e espalharmos rumores. A Bíblia ensina que "... o amor perdoa muitíssimos pecados" (1Pedro 4.8).

Temos êxito em demonstrar respeito mútuo quando, de fato, procuramos ser:

- Cuidadosos e não somente sinceros. Ter tato é pensar antes de falar, sabendo que o modo de dizer algo influenciará na recepção da mensagem. A crítica é mais bem recebida quando apresentada com amor. Sendo cristãos maduros, devemos sempre falar a verdade, mas dizê-la em amor (Efésios 4.15). Antes de falar francamente com alguém, pergunte-se: "Por que estou dizendo isso? Minhas palavras vão edificar ou derrubar essa pessoa?". "O falar amável é árvore de vida, mas o falar enganoso esmaga o espírito" (Provérbios 15.4).

- Compreensíveis e não exigentes. Respeitamos os outros quando os tratamos do modo como desejamos ser tratados (Lucas 6.31). Que comportamento você espera das pessoas que trabalham com você? Que sejam exigentes ou compreensivas? Temos de ter consideração com os sentimentos dos outros e com as pressões que enfrentam: às vezes, não estão se sentindo bem, passaram por um dia difícil etc. A Bíblia diz: "O sábio de coração é considerado prudente; quem fala com equilíbrio promove a instrução" (Provérbios 16.21). O melhor lugar para praticar o respeito é em nossa casa e pequeno grupo. Frequentemente somos mais bem-educados com pessoas estranhas do que com as que vemos todos os dias.

- Gentis e não julgadores. Mesmo quando discordamos, devemos ser corteses e respeitosos e nos concentrar primeiramente em nosso comportamento: "Assim, cada um de nós prestará contas de si mesmo a Deus. Portanto, deixemos de julgar uns aos outros. Em vez disso, façamos o propósito de não colocar pedra de tropeço ou obstáculo no caminho do irmão" (Romanos 14.12,13).
- Educados e não rudes. Quando somos tratados rudemente, não precisamos responder no mesmo tom. Como discípulos de Cristo, aprendemos a responder com bondade: "Não se deixem vencer pelo mal, mas vençam o mal com o bem" (Romanos 12.21).

Somente mais uma observação sobre respeito: Deus confia nos pastores e nos líderes espirituais de sua igreja para cuidar de vocês (Hebreus 13.17). Eles precisam ensinar corretamente a Palavra de Deus; confrontar os falsos ensinamentos antes que se espalhem; proclamar o Evangelho aos não-cristãos; orar por todas as pessoas, inclusive por você e por sua família; escolher e treinar novos líderes; e fazer tudo isso enquanto servem de exemplo do que significa ser discípulo de Jesus (1 e 2 Timóteo; Tito).

Nem todos conseguem facilmente ter tato, ser compreensivos, gentis e bem-educados. Mas é necessário que sejam. Quando for fazer as anotações em seu diário, hoje, pense sobre essas coisas e peça a Deus que o fortaleça através do Espírito Santo para capacitá-lo a "... promover tudo quanto conduz à paz e à edificação mútua" (Romanos 14.19).

PARA PENSAR:
O respeito começa com uma perspectiva divina.

VERSÍCULO PARA MEMORIZAR:
Prefiram dar honra aos outros mais do que a si próprios.
Romanos 12.10b

QUESTÃO PARA CONSIDERAR:
Qual das maneiras de demonstrar respeito aos outros representa maior desafio para você?

Diário — Dia 17

TEMA: SOMOS ESCOLHIDOS PARA TER COMUNHÃO.

APOIANDO UNS AOS OUTROS

Quanto ao mais, tenham todos o mesmo modo de pensar, sejam compassivos, amem-se fraternalmente, sejam misericordiosos e humildes.
1Pedro 3.8

Deus nos capacita a amar uns aos outros e tirar o medo de nosso meio.

O medo em nossa comunidade cessa quando amamos e sustentamos uns aos outros de tal forma que cada membro se sente seguro dentro do grupo (1João 4.18). Essa segurança permite que revelemos nossa humanidade — inclusive nossa alegria, dor, altos e baixos, vitórias e derrotas.

Proporcionamos uns aos outros a mesma segurança incomum que Cristo nos dá — temos liberdade para ser genuínos, tristes, confusos e, mesmo assim, amados. Deus nos desafia a criar uma comunidade em que possamos amar de todo coração (1Pedro 1.22) e nela viver, mover-se e existir (Atos 17.28).

Deus quer que juntos choremos e celebremos — cuidando de cada um igualmente (1Coríntios 12.25,26), seja confortando, seja confrontando, aquecendo, advertindo, tratando com carinho e desafiando uns aos outros numa atmosfera de apoio e segurança. O Senhor deseja que nos sustentemos com misericórdia e humildade.

Agir com misericórdia é consolar uns aos outros com a consolação que recebemos de Deus (2Coríntios 1.4). Demonstramos misericórdia quando dizemos uns aos outros:

Não há nada de errado em se ter um dia ruim.

Não há nada de errado em estar cansado.
Não há nada de errado em admitir erros.
Não há nada de errado em dizer que seu casamento está com problemas.
Não há nada de errado em confessar vícios.
Não há nada de errado em dizer que está com medo.
Não há nada de errado em querer ficar longe de seu filho pequeno por um dia.
Não há nada de errado em chorar a perda.
Não há nada de errado em ter dúvidas, estar confuso, chorar.

Agir com humildade não é focar na própria indignidade; é preocupar-se em ter comportamento humilde. A humildade deve surgir naturalmente de nosso espírito amoroso, no qual vemos, pelos olhos de Deus, o valor dos outros. Também significa entendermos o valor que temos em Cristo e o nosso propósito único. Dessa maneira, a humildade permite que celebremos o sucesso dos outros, sabendo que Deus abençoa a cada um de nós de modo diverso e em momento diferente, de acordo com nossa necessidade e missão. Demonstramos humildade quando dizemos uns aos outros:

Não há nada de errado em comprar um carro novo.
Não há nada de errado em comemorar seu superaumento.
Não há nada de errado em alegrar-se por emagrecer oito quilos.
Não há nada de errado em contar que venceu a concorrência nas vendas.
Não há nada de errado em gritar *Aleluia* porque a presença de Deus em sua vida é tão boa.

Demonstramos misericórdia quando choramos com aqueles que choram. Demonstramos humildade quando nos alegramos com as bênçãos recebidas pelos outros como se fossem nossas.

Apoiar uns aos outros também significa que olhamos para cada um vendo o que podemos ser e não o que aparentamos ser agora. Jesus chamou Pedro de "pedra" quando o pescador continuava a agir com impulsividade (Mateus 16.18). Deus chamou Gideão de poderoso guerreiro quando ele se escondia dos inimigos (Juízes 6.11,12). Edificamos e encorajamos uns aos outros quando nos vemos em relação aos propósitos e à missão de nossa vida (1Tessalonicenses 5.11).

À medida que buscamos maneiras pelas quais podemos suportar uns aos outros (Romanos 14.19), poderá ser útil lembrar que a palavra *suportar* literalmente significa *emprestar força a*. Encontramos força em lugares que nos apoiam, lugares em que nos sentimos seguros ao sermos nós mesmos. O que seu grupo acha disso?

PARA PENSAR:
Deus nos capacita a amar uns aos outros e tirar o medo de nosso meio.

VERSÍCULO PARA MEMORIZAR:
Quanto ao mais, tenham todos o mesmo modo de pensar, sejam compassivos, amem-se fraternalmente, sejam misericordiosos e humildes.
(1Pedro 3.8)

QUESTÃO PARA CONSIDERAR:
A quem você emprestará força hoje e como?

Diário — Dia 18

Tema: Somos escolhidos para ter comunhão.

ACERTANDO-NOS UNS COM OS OUTROS

Dia 19

Irmãos, em nome de nosso Senhor Jesus Cristo suplico a todos vocês que concordem uns com os outros no que falam, para que não haja divisões entre vocês; antes, que todos estejam unidos num só pensamento e num só parecer.
1Coríntios 1.10

Parem de querer ter sempre a palavra final.

Em vez disso, tenham como objetivo amar os que discordam de vocês. Lutem pelo amor e não pela vitória. Jesus disse que o amor sempre vencerá. Ele garantiu isso quando saiu do túmulo.

Quando você se descobrir discutindo com outro cristão, use estas orientações bíblicas:

Deixe a misericórdia guiar suas respostas (Provérbios 3.3-6). Num conflito, a maioria quer apenas o que é justo, mas a abordagem de Deus não se refere à justiça; e sim à graça e misericórdia (Romanos 5.8).

Permita que Deus determine qual é a verdade (2Coríntios 13.8). A verdade não é determinada por sua maneira de pensar ou sentir (1João 4.1), nem pela opinião dos outros. É aquilo que Deus diz; ele é a única autoridade para interpretar toda e qualquer situação (2Coríntios 10.5).

Busque a presença de Deus (Mateus 28.20). Satanás quer que acreditemos que estamos sozinhos nessa batalha. Simão Pedro usou palavras violentas, espada, maldições e mentiras na tentativa desesperada de cuidar de si mesmo. Ele lutou como um homem separado de Deus (Mateus 26.52). O exemplo que devemos seguir, no entanto, é o do jovem pastor Davi, que acreditou pertencer ao Senhor a batalha (1Samuel 17.47).

Apoie-se na mente de Cristo (1Coríntios 2.15,16). A Bíblia diz que não devemos nos apoiar em nosso próprio entendimento (Provérbios 3.5), pois o que parece ser certo a nossos olhos pode estar completamente errado (Provérbios 14.12).

Procure a verdadeira fonte do conflito (Efésios 6.12). De acordo com a Palavra de Deus, não estamos lutando contra pessoas; nosso inimigo verdadeiro é Satanás e suas "forças espirituais do mal nas regiões celestiais".

Largue as armas humanas (2Coríntios 10.4,5). Quando tentamos suprir nossas necessidades trabalhando independentemente de Deus, temos tendência a usar o que o apóstolo Paulo chamou de armas da carne. São elas: manipulação, fofoca, difamação, ridicularização, ameaças, vergonha, murmuração, decepção e silêncio. Quando as usamos, acabamos num círculo vicioso de retribuir "mal com mal" e isso é o mesmo que tentar lutar com um gambá usando o mau cheiro — todos saem perdendo!

Aprenda a usar as armas espirituais (2Coríntios 10.4). A Bíblia diz que a oração é uma arma forte. Depois que vestimos toda a armadura de Deus, devemos orar "... no Espírito em todas as ocasiões, com toda oração e súplica..." (Efésios 6.18). Muitos cristãos nunca pensaram em orar juntos quando surge uma discussão. Ainda assim, a oração nos faz pensar em quem Deus é e de quem somos filhos. Ela leva qualquer discussão a uma perspectiva divina.

O perdão é outra arma espiritual. Seu poder é maior do que qualquer coisa que o inimigo possa usar contra você. Deus ordena que perdoemos os outros da mesma forma como fomos perdoados (Mateus 6.12).

Para andarmos juntos, nem sempre temos de concordar em tudo. O versículo de hoje diz: "... que concordem uns com os outros no que falam". Numa orquestra há uma enorme diferença entre o som uníssono e a harmonia. Se todos os músicos tocassem em uníssono o tempo todo, a música ficaria bastante monótona. É a harmonia que cria a beleza da música. São diferentes músicos tocando instrumentos variados e em notas diferentes, mas todos sob a direção de um só maestro. O alvo de cada músico não é tocar mais alto que os outros, nem terminar a peça primeiro. O objetivo é "que todos estejam unidos num só pensamento e num só parecer". Quando isso acontece, a música é celestial.

PARA PENSAR:
Lute pelo amor e não pela vitória.

VERSÍCULO PARA MEMORIZAR:
Irmãos, em nome de nosso Senhor Jesus Cristo suplico a todos vocês que concordem uns com os outros no que falam, para que não haja divisões entre vocês; antes, que todos estejam unidos num só pensamento e num só parecer.
1Coríntios 1.10

QUESTÃO PARA CONSIDERAR:
Se há um conflito não resolvido entre você e um irmão ou irmã em Cristo, o que você fará para buscar a reconciliação?

Diário — Dia 19

Tema: Somos escolhidos para ter comunhão.

Sendo pacientes uns com os outros

... sejam pacientes, suportando uns aos outros com amor.
Efésios 4.2

Quanto mais compreendemos, mais pacientes nos tornamos.

Quando enxergamos a dor que está por trás da raiva, ou a razão por trás de determinado comportamento, conseguimos ser mais tolerantes com as faltas uns dos outros. A capacidade de ser compreensivo é sinal de paciência (Provérbios 14.29). A Bíblia ensina que: "A sabedoria do homem lhe dá paciência; sua glória é ignorar as ofensas" (Provérbios 19.11).

Ao enfrentarmos um desafio à nossa paciência, devemos lembrar de que Deus nunca nos pedirá para sermos mais pacientes do que conseguiríamos. O apóstolo Paulo usa sua própria vida como exemplo quando diz: "... para que em mim [...] Cristo Jesus demonstrasse toda a grandeza da sua paciência, usando-me como um exemplo para aqueles que nele haveriam de crer para a vida eterna" (1 Timóteo 1.16). Ao conectarmos nossa paciência à de Cristo, conseguimos ceder mais espaço aos outros; concordamos melhor com a sabedoria que diz que o amor é paciente (1 Coríntios 13.4), e que impaciência não é amor.

Precisamos ser pacientes uns com os outros porque Deus criou cada um com capacidades distintas, designando-nos para uma diferente missão na vida. Todos temos histórias diferentes e estamos em estágios diferentes em nossa caminhada espiritual com Jesus.

Praticar a paciência eleva suas perspectivas, ajuda-o a ver nossa diversidade como ponto forte e não como sinal de fraqueza.

O apóstolo Paulo escreveu: "Aceitem o que é fraco na fé, sem discutir assuntos controvertidos" (Romanos 14.1).

Trabalhem para desenvolver paciência o tempo todo. Qualquer um pode ser paciente quando é conveniente — entretanto, é muito mais difícil ter paciência quando resta pouco tempo para fazer tudo o que é preciso ou quando se comete o mesmo erro pela terceira vez na mesma semana. Ser paciente tem seu preço; temos de abrir mão de nossos compromissos e direitos a fim de receber os outros de braços abertos.

Uma das atitudes mais práticas na conquista da verdadeira paciência é aprender a ouvir. Isso significa mais do que somente escutar alguém; trata-se de ouvir cuidadosa e completamente. A Bíblia diz: "Quem responde antes de ouvir comete insensatez e passa vergonha" (Provérbios 18.13). Está bem claro! Quer dizer que não deveríamos concluir nada sobre o que alguém fez, ou sobre o que ouvimos, antes de saber a história toda. Deus nos criou com dois ouvidos e uma só boca, talvez para nos dizer que devemos ouvir duas vezes mais do que falar.

Faça a si mesmo estas perguntas:

- O que me deixa impaciente?
- O que minha impaciência demonstra a respeito de minhas prioridades?
- Como posso compreender melhor as pessoas que me deixam impaciente?
- Tenho investido tempo para ouvir a história toda?
- Em que áreas as pessoas têm de ser pacientes comigo?
- Tenho demonstrado graça aos outros da maneira que gostaria de recebê-la?

Lemos em 1Coríntios 13.4: "O amor é paciente, o amor é bondoso". Isso quer dizer que ele suporta muitas coisas durante muito tempo. Da próxima vez que sua paciência atingir o limite, lembre-se quão paciente e compreensivo Cristo tem sido com você.

PARA PENSAR:
Quanto mais compreendemos, mais pacientes nos tornamos.

VERSÍCULO PARA MEMORIZAR:
... sejam pacientes, suportando uns aos outros com amor.
Efésios 4.2

QUESTÃO PARA CONSIDERAR:
O que você pode fazer para tornar-se mais paciente com aqueles que estão à sua volta?

Diário — Dia 20

Tema: Somos escolhidos para ter comunhão.

Sendo honestos uns com os outros

Portanto, cada um de vocês deve abandonar a mentira e falar a verdade ao seu próximo, pois todos somos membros de um mesmo corpo.
Efésios 4.25

A honestidade fortalece a comunhão.

A honestidade aprofunda nossos relacionamentos, permitindo que sejamos transparentes uns com os outros (Provérbios 24.26). Ela mantém nossa comunidade aberta e autêntica, dando-nos liberdade para falar a verdade em amor (Efésios 4.15, *ARA*) na medida em que colocamos em prática a vida íntegra (Tito 2.7). A honestidade conserva-nos sensíveis à orientação do Espírito Santo (João 16.13) e ajuda-nos a lutar com enganos que poderiam corromper nossa vida em Cristo (2 Coríntios 10.5).

Ela requer que digamos realmente o que fazemos e vice-versa (Mateus 5.37). Temos de demonstrar em público a mesma honestidade que temos quando sozinhos (Atos 20.20) e ter compromisso com a única verdade (João 14.6).

Não pode mais haver mentiras entre nós. Como novas criaturas em Cristo, fomos tirados de nosso velho eu, e por isso não devemos mais mentir uns aos outros (Colossenses 3.9). O Diabo é o pai da mentira: "Vocês pertencem ao pai de vocês, o Diabo, e querem realizar o desejo dele [...] Quando mente, fala a sua própria língua, pois é mentiroso e pai da mentira" (João 8.44). As pessoas que se afastam da verdade são pecadoras e más (Romanos 1.18), mas conhecemos a verdade e ela nos libertou (João 8.32).

Há dois tipos de mentiras:
- Mentira efetiva: fazer uma declaração falsa. A Bíblia diz que devemos "abandonar a mentira e falar a verdade" (Efésios 4.25). Não queremos nos tornar mentirosos como os que mentiram tanto e tão bem por muito tempo que já perderam a capacidade de perceber a verdade (1Timóteo 4.2) e enxergam-na apenas como uma recordação distante (1Timóteo 6.5).
- Mentira por omissão: não dizer toda a verdade, ou fingir-se não ver o engano dos outros. Essas mentiras são características da fala mansa usada na época de Paulo para conseguir acesso às casas de mulheres instáveis, sobrecarregadas de pecados (2Timóteo 3.6), com o propósito de tirar vantagem delas. "Quem repreende o próximo obterá por fim mais favor do que aquele que só sabe bajular" (Provérbios 28.23). Honramos um ao outro quando respondemos com honestidade (Provérbios 24.26).

Não deve mais existir falsidade entre nós.

"Antes, renunciamos aos procedimentos secretos e vergonhosos; não usamos de engano, nem torcemos a palavra de Deus. Ao contrário, mediante a clara exposição da verdade, recomendamo-nos à consciência de todos, diante de Deus" (2Coríntios 4.2).

Não há necessidade de "ler nas entrelinhas, ou procurar por significados ocultos", porque falamos de forma "franca e sincera" (2Coríntios 1.13, *BV*).

De fato, temos de destruir "argumentos e toda pretensão que se levanta contra o conhecimento de Deus, e [levar] todo pensamento, para torná-lo obediente a Cristo" (2 Coríntios 10.5).

Por outro lado, a desonestidade pode poluir nossa vida comunitária e dificultar o desenvolvimento da confiança profunda entre nós (Lucas 16.10). Talvez consideremos que, em alguns casos, não manter a palavra seja algo sem importância, mas não cumpri-la trará problemas à congregação. O Novo Testamento registra um incidente na igreja da Galácia quando o apóstolo Pedro não fez o que disse a alguns novos cristãos (Gálatas 2.12). Suas ações ameaçaram a fé da congregação que tinha muitos novos convertidos. Paulo confrontou-o face a face porque, sem dúvida, ele saíra da linha (Gálatas 2.11).

"Finalmente, irmãos, tudo o que for verdadeiro, tudo o que for nobre, tudo o que for correto, tudo o que for puro, tudo o que for amável, tudo o que for de boa fama, se houver algo de excelente ou digno de louvor, pensem nessas coisas" (Filipenses 4.8).

Deus dirá um dia: "... toda língua confessará que sou Deus" (Romanos 14.11).

PARA PENSAR:
A honestidade fortalece a comunhão.

VERSÍCULO PARA MEMORIZAR:
Portanto, cada um de vocês deve abandonar a mentira e falar a verdade ao seu próximo, pois todos somos membros de um mesmo corpo.
Efésios 4.25

QUESTÃO PARA CONSIDERAR:
Com qual tentação você tem de lutar mais: mentira efetiva ou mentira por omissão?

Diário — Dia 21

TEMA: ESTAMOS UNIDOS PARA CRESCER JUNTOS.

SENDO EXEMPLOS UNS COM OS OUTROS

Dia 22

Irmãos, sigam unidos o meu exemplo e observem os que vivem de acordo com o padrão que lhes apresentamos.
Filipenses 3.17

Todos precisamos de modelos para amadurecer.

Engana-se quem acredita que depende apenas da Palavra de Deus e da oração para crescer espiritualmente. A verdade é que precisamos uns dos outros. A semelhança do caráter de Cristo é construída com relacionamentos, e não no isolamento. Muitas coisas sobre a vida que Deus deseja que aprendamos nunca alcançaremos sozinhos. Só é possível aprendê-las em comunidade.

Crescemos mais fortes e mais rápido quando convivemos com exemplos que nos servem de modelo de uma vida com propósitos. Paulo compreendia bem a força do padrão quando advertiu: "Sigam unidos o meu exemplo e observem os que vivem de acordo com o padrão que lhes apresentamos" (Filipenses 3.17). Para crescer, precisamos ver os princípios aplicados na vida prática. Temos de ver como as crenças atuam ao ser traduzidas em comportamento nas situações diárias.

Quando Paulo pretendia implantar uma igreja numa cidade, iniciava o processo simplesmente morando entre os cidadãos. Ele era uma Bíblia viva, refletindo a vida de Jesus, em quem "a Palavra tornou-se carne e viveu entre nós" (João 1.14). Paulo viveu a verdade da palavra em sua própria carne e morou entre as pessoas também. Depois de deixar a cidade, podia escrever: "Ponham em prática tudo o que vocês aprenderam, receberam, ouviram e viram em mim. E o Deus da paz estará com vocês" (Filipenses 4.9).

Quem são seus exemplos na caminhada com Cristo? Quem você está observando e o que pode aprender com ele? Ainda há outra questão: você é exemplo para alguém? Provavelmente, no primeiro grau da escola você brincou de "Imagem e ação". Muitas vezes, como cristãos somos melhores com "imagem" do que com "ação".

Em nossa cultura atual, o mundo precisa desesperadamente de pessoas que mostrem como amar o cônjuge e ter um casamento duradouro, como se relacionar com os filhos, como dirigir os negócios com integridade, como lidar com conflitos a exemplo de Jesus. Lições que aprendemos com os outros.

Precisamos não apenas de modelos para crescer, como também de mentores, pessoas que estão seguindo Cristo há mais tempo que nós e podem compartilhar suas lições de vida. Provavelmente, você já ouviu falar que é mais sábio aprender com a própria experiência, eu digo que é ainda mais sábio aprender com a experiência dos outros. A vida é muito curta para aprender tudo com experiências próprias! Algumas delas, dolorosas, podem ser evitadas se formos espertos o suficiente para aprender com modelos e mentores em nossa igreja-família.

Pergunte a si mesmo: "Qual tem sido a maior influência positiva em minha vida?". Normalmente, não é sermão, seminário, aula de escola dominical, mas sim uma pessoa que tem moldado sua vida por meio de seu relacionamento com ela.

Ao olhar para a igreja como criação de Deus, uma família com muitos mentores e modelos para nosso benefício, você não reconhece a sabedoria do Senhor? É por isso que estar ligado a um pequeno grupo é crucial para o crescimento espiritual. É uma oportunidade simples de aprender lições uns com os outros.

Hoje tomaremos algumas atitudes sobre essa questão. Anote os nomes de algumas pessoas de sua igreja e de seu pequeno grupo que podem servir de modelo de aprendizado para você. Especifique o que pode ser aprendido com cada uma delas. Essas pessoas não têm de ser perfeitas em tudo para servirem de modelo ou discipulador. Se a perfeição fosse um requisito, somente Jesus poderia nos ajudar.

Para crescer espiritualmente, você também deve estar pronto para ser modelo ou mentor de outras pessoas. Talvez isso o assuste, mas o único requisito é você estar somente um passo à frente daquele que você vai discipular. As pessoas não esperam perfeição — já sabem que você não é perfeito. O que querem é sua honestidade! Então, deixe que vejam suas lutas e não apenas suas vitórias. Normalmente crescemos observando a fraqueza dos outros mais do que seus pontos fortes.

PARA PENSAR:
Todos precisamos de modelos para amadurecer.

VERSÍCULO PARA MEMORIZAR:
Tornem-se meus imitadores, como eu o sou de Cristo.
1Coríntios 11.1

QUESTÃO PARA CONSIDERAR:
Quem serão os modelos e discipuladores para o meu crescimento espiritual? A quem estou disposto a servir de modelo?

Diário — Dia 22

Tema: Estamos unidos para crescer juntos.

Encorajando uns aos outros

Por isso, exortem-se e edifiquem-se uns aos outros, como de fato vocês estão fazendo.
1Tessalonicenses 5.11

Temos o poder de dar a vida ou tirá-la.

Muitas mensagens que recebemos em nosso mundo tiram a vida. Ouvimos coisas do tipo: "Você não é competente; Não é magro o suficiente; Você é lento demais; Você não é bom o suficiente". A Bíblia diz em Provérbios 18.21: "A língua tem poder sobre a vida e sobre a morte; os que gostam de usá-la comerão do seu fruto".

Numa sociedade em que pessoas são atacadas e derrotadas, podemos propor algo para contrabalançar a negatividade. Temos o poder de dar vida quando dizemos uns aos outros: "Você é importante para mim. Sua vida tem valor e propósito. Deus o ama e você tem um valor imenso para ele". Nossas palavras podem ser a única fonte de encorajamento que determinadas pessoas ouvirão durante seu dia. Podemos nos tornar a voz da graça de Deus em suas vidas, ajudando com palavras encorajadoras (Romanos 14.19).

Em Lucas 13 há um exemplo: Jesus curou uma mulher que não conseguia endireitar o corpo há dezoito anos. Quando os líderes da sinagoga o questionaram por realizar uma cura no sábado, Jesus respondeu-lhes que estava libertando uma "filha de Abraão" dos laços de Satanás. Ele não a descreveu como uma mulher velha e aleijada, mas como uma filha honrada da nação judaica. Mais importante que isso, ele considerou a necessidade desesperadora dela — sua condição física e espiritual — prioridade em sua rotina naquele dia.

Você pode imaginar que bênção imensa essas palavras foram para os que as ouviram? Jesus a curou fisicamente, mas também a edificou. Ela era uma filha de Abraão, amada, digna de atenção e significante o suficiente para ser imediatamente ajudada.

No Novo Testamento, a palavra "encorajamento" representa sempre a ideia de "acompanhar, andar ao lado". Devemos andar ao lado, acompanhar uns aos outros, "edificando-nos mutuamente", da mesma forma que nosso Santo Encorajador anda conosco e nos ensina, fazendo-nos lembrar dos caminhos de Jesus (João 14.26).

Tornamo-nos encorajadores quando passamos a olhar para cima e para fora. Tudo o que temos a fazer é perceber ao nosso redor aqueles que estão em necessidade — as oportunidades de encorajamento estão em toda parte. "Cada um de nós deve agradar ao seu próximo para o bem dele, a fim de edificá-lo" (Romanos 15.2).

E então? Durante esta semana você realmente será uma fonte de encorajamento àqueles que estão à sua volta? Faça uma escolha: levante o ânimo de uma pessoa, mude a atmosfera em seu escritório ou torne mais leve o fardo de alguém em seu pequeno grupo. A Bíblia diz que devemos ser "sempre bondosos uns para com os outros e para com todos" (1Tessalonicenses 5.15).

O melhor lugar para começarmos é em nosso pequeno grupo, com o qual nos reunimos para edificação mútua. Como no fortalecimento dos músculos, fortalecemos uns aos outros quando exercitamos nossa capacidade de escolha no encorajamento. Veja alguns passos que você pode dar desde já:

- Assuma o compromisso de encorajar — a partir de hoje tome a decisão: "Vou edificar as pessoas ao meu redor". Você pode imaginar o impacto disso? O significado do nome do companheiro de Paulo, Barnabé, é literalmente "encorajador". Que tipo de influência você poderá exercer ao se comprometer a ser um encorajador?

- Valorize as outras pessoas — vimos até aqui, repetidas vezes, que as pessoas são valiosas para Deus. Se elas têm valor para ele, devem ser preciosas para nós também. Um encorajador trabalha com afinco para extrair das pessoas o melhor.
- Concentre-se no que realmente é importante — quando Jesus curou a "filha de Abraão", focalizou o que realmente importava. Para tornar-se um encorajador, mude suas prioridades, ajuste sua agenda e concentre-se no fato de que pessoas são mais importantes para Deus do que nossos compromissos são para nós.

Que suas conversas estejam permeadas com frases assim: "Acredito em você...", "Sou grato a você por...", "Vejo Deus usando você em...", "Gosto disso em você...", ou ainda "Estou feliz por ter você em minha vida". Sinta-se encorajado, há uma boa notícia, de grande alegria para todo o povo, e seu nome é Cristo, o Senhor!

PARA PENSAR:
Temos poder de dar a vida ou tirá-la.

VERSÍCULO PARA MEMORIZAR:
Por isso, exortem-se e edifiquem-se uns aos outros, como de fato vocês estão fazendo.
1Tessalonicenses 5.11

QUESTÃO PARA CONSIDERAR:
O que você pode fazer para tornar-se uma fonte mais constante de encorajamento aos que o rodeiam?

Diário — Dia 23

Tema: Estamos unidos para crescer juntos.

Ensinando uns aos outros

Habite ricamente em vocês a palavra de Cristo; ensinem e aconselhem-se uns aos outros com toda a sabedoria, e cantem salmos, hinos e cânticos espirituais com gratidão a Deus em seu coração.
Colossenses 3.16

Todos somos professores da fé.

Podemos ser professores bons ou ruins, mas o fato é que somos mestres. Todos os dias — esperamos —, somos modelo de comportamento bíblico e respondemos com atitudes semelhantes às de Cristo. A Bíblia vê-nos como professores e encorajadores no papel de ensinar uns aos outros. Paulo, quando escreveu a um grupo de cristãos comuns declarou: "Meus irmãos, eu mesmo estou convencido de que vocês estão cheios de bondade e plenamente instruídos, sendo capazes de aconselhar-se uns aos outros" (Romanos 15.14).

Muitos carregam o mito de que apenas as pessoas que têm dom e são profissionais sabem ensinar, mas nada poderia estar mais afastado da verdade. Cada um de nós tem algo a oferecer aos amigos e ao pequeno grupo. Quando compartilhamos pensamentos sobre um texto bíblico, quando aconselhamos com base em nossas experiências, quando convidamos o grupo para orar numa hora de crise, estamos ensinando.

Ensinar envolve mais do que explicar uma história bíblica ou um princípio teológico; também ensinamos quando ajudamos uns aos outros a amar o cônjuge, tomar decisões, manter pensamentos puros ou sair de dívidas.

Paulo diz que devemos aconselhar uns aos outros. Isso significa ser aprendizes, ouvintes do que outros cristãos têm a dizer quando contam sobre o trabalho de Deus em suas vidas, e observar uns aos outros para ver como "Cristo em vocês" funciona em outro ser humano (Colossenses 1.27).

A Bíblia afirma que o rei Salomão foi o homem mais sábio que já existiu. Ele disse que aprender com os amigos é de vital importância (Provérbios 12.15). Salomão escreveu em Provérbios 15.22: "Os planos fracassam por falta de conselho, mas são bem-sucedidos quando há muitos conselheiros".

No versículo destacado hoje, Paulo faz um esboço de como podemos ensinar e aprender uns com os outros:

- Deixem as palavras de Cristo habitar em seu coração — devemos conhecer a Palavra de Deus antes de tentar ensiná-la. Quando ouvimos, lemos, estudamos e memorizamos as palavras de Cristo e meditamos nela, estamos colocando-as em nosso coração. Isso nos torna mais sábios e nos dá o conhecimento necessário para que possamos nos ensinar mutuamente (Romanos 15.14).
- Usem a Palavra de Deus para ensinar e aconselhar uns aos outros — o que temos de passar aos outros é mais do que simples experiências ou conhecimento humano. Toda vez que Paulo escreveu para alguma igreja, desafiou os cristãos a ensinar e encorajar uns aos outros com a verdade de Deus. Frequentemente buscamos a sabedoria convencional do mundo quando queremos respostas. Contudo, é o mundo que precisa desesperadamente da sabedoria espiritual encontrada na Palavra de Deus.

Naturalmente, uma vez que tenhamos aprendido com a sabedoria de Deus, precisamos aplicá-la corretamente em nossa vida, mantendo-nos firmes, sem relaxar: "Apegue-se à instrução, não a abandone; guarde-a bem, pois dela depende sua vida" (Provérbios 4.13).

Seu pequeno grupo tem uma excelente oportunidade para que todos os seus componentes desenvolvam habilidades de líderes e professores. Vocês devem revezar-se no preparo da reunião e liderança do estudo em cada semana. Isso ajudará e incentivará cada membro a crescer em sua fé e dons. A Bíblia diz: "Se vier uma revelação a alguém que está sentado, cale-se o primeiro. Pois vocês todos podem profetizar, cada um por sua vez, de forma que todos sejam instruídos e encorajados" (1Coríntios 14.30,31).

Em pequenos grupos, os relacionamentos não são mera coincidência. Não foi por acaso que Deus colocou você nesse grupo em particular para estudar durante 40 dias a respeito de comunhão. Há coisas que seu grupo aprenderá somente com você e outras que você aprenderá somente com as pessoas que o compõem. Que privilégio incrível! O Deus do universo o escolheu para participar da vida de seus amigos, bem como providenciou que eles fossem capazes de participar da sua.

PARA PENSAR:
Todos somos professores da fé.

VERSÍCULO PARA MEMORIZAR:
Habite ricamente em vocês a palavra de Cristo; ensinem e aconselhem-se uns aos outros com toda a sabedoria, e cantem salmos, hinos e cânticos espirituais com gratidão a Deus em seu coração.
Colossenses 3.16

QUESTÃO PARA CONSIDERAR:
Quais as lições que Deus tem ensinado a você ultimamente que podem ser compartilhadas com seu pequeno grupo?

Diário — Dia 24

Tema: Estamos unidos para crescer juntos.

Dia 25
Advertindo uns aos outros

... encorajem-se uns aos outros todos os dias, durante o tempo que se chama "hoje", de modo que nenhum de vocês seja endurecido pelo engano do pecado.
Hebreus 3.13

Quando você se importa com os outros, você os exorta.

"Isso não é da minha conta" é uma frase que não faz parte do cristianismo. Você é responsável, sim. "Assim como o ferro afia o ferro" (Provérbios 27.17), devemos estimular os outros no comportamento semelhante ao de Cristo e nos proteger mutuamente contra falhas em nossa fé. Precisamos de pessoas que nos amem o suficiente para nos advertir quando necessário.

Como estudamos anteriormente, devemos "abandonar a mentira e falar a verdade ao [...] próximo, pois todos somos membros de um mesmo corpo" (Efésios 4.25). Note que a razão para falar a verdade e advertir-nos mutuamente é o fato de pertencermos um ao outro.

As exortações não devem ser meras censuras, mas devem ser positivas e redentoras — devem levar-nos a um lugar mais alto e fazer-nos lembrar que temos um propósito divino. São exortações de restauração, dadas como correções vindas de um coração humilde e de palavras compassivas. O apóstolo Paulo disse: "Por isso, vigiem! Lembrem-se de que durante três anos jamais cessei de advertir cada um de vocês disso, noite e dia, com lágrimas" (Atos 20.31). Você consegue perceber a compaixão e o amor em sua voz? Quando suas exortações são motivadas pelo amor e baseadas em relacionamentos compromissados, raramente são ásperas ou más. De fato, dirão aos outros quanto você os ama.

Devemos advertir, mas também precisamos estar dispostos a receber exortações. O fato é que todos temos "pontos cegos". Frequentemente usamos essa expressão para descrever a incapacidade de o motorista enxergar determinadas áreas ao redor do veículo que está dirigindo. Para poder ver esses pontos cegos, o motorista precisa da ajuda de quem está sentado ao seu lado, no banco de passageiro. Essa ilustração ajuda a explicar a essência da exortação — precisamos de amigos que andem conosco e que nos ajudem a perceber o perigo se aproximando. Qualquer pessoa que, sabendo, permitir entrar num caminho perigoso não será um amigo verdadeiro; a advertência não é para arrasar nossas habilidades de dirigir, mas para manter-nos no caminho correto.

Como ao dirigirmos, a advertência deve ser imediata — no dia que se chama hoje. Precisamos aproveitar o momento, porque esperar para avisar só levará ao desastre. É preciso arriscar-se para envolver-se, mas quantos casamentos teriam sido salvos, quantos relacionamentos curados, quantas decisões erradas revertidas se alguém tivesse demonstrado amor suficiente para advertir?

Pense em seus amigos cristãos ou em seu pequeno grupo. Há alguém que precisa ser advertido? Talvez você esteja vendo um comportamento doentio se desenvolvendo na vida de alguém. Ou, quem sabe, tenha notado um aumento de cinismo, dívidas financeiras ou o emprego tornando-se um vício.

É bem possível que você ouça uma pequena voz lhe dizendo: "Você não tem nada com isso. Quem você pensa que é para exortar alguém? Você já tem problemas suficientes". Mas você é responsável. Se você não se dispuser a participar da vida de seu amigo, quem vai fazê-lo?

PARA PENSAR:
Sim, é da sua conta!

VERSÍCULO PARA MEMORIZAR:
... encorajem-se uns aos outros todos os dias, durante o tempo que se chama "hoje", de modo que nenhum de vocês seja endurecido pelo engano do pecado.
Hebreus 3.13

QUESTÃO PARA CONSIDERAR:
Não hesitaríamos em impedir um amigo de dar um passo para atravessar uma rua se um carro estivesse se aproximando. Por que hesitamos em impedir um amigo de dar um passo em direção ao pecado?

Diário — Dia 25

Tema: Estamos unidos para crescer juntos.

Dando preferência uns aos outros

Nada façam por ambição egoísta ou por vaidade, mas humildemente considerem os outros superiores a si mesmos.
Filipenses 2.3

Dê a preferência aos outros.

Caso tenha lido *Uma vida com propósitos* (**Vida, 1998**), você se lembrará da primeira frase do livro: "Você não é o foco". Deus planejou que saíssemos de nós mesmos para viver uma vida com propósitos para os outros. De acordo com Jesus, vivemos da maneira que ele deseja quando damos preferência uns aos outros: "Pois quem quiser salvar a sua vida, a perderá, mas quem perder a sua vida por minha causa, a encontrará" (Mateus 16.25).

Parece fácil permitir que outros tenham a preferência quando você concorda com eles. Mas e quanto a assuntos significativos — coisas realmente importantes para você? Às vezes, dar preferência significa sacrificar o que você tem de melhor pelo corpo de Cristo. Estamos em uma comunidade na qual dizemos "nós" em vez de "eu", e "nosso" em vez de "meu": "Ninguém deve buscar o seu próprio bem, mas sim o dos outros" (1Coríntios 10.24).

A Bíblia diz que devemos dar o primeiro lugar aos outros, isto é, voluntariamente colocar-nos em posição de apoio, no banco de reservas — "Prefiram dar honra aos outros mais do que a si próprios" (Romanos 12.10). Para fazer isso, temos de mudar nossa maneira de pensar; precisamos rever nossas perspectivas. Todos os dias somos ensinados, encorajados e jogados para uma vida autocentrada. Mas Paulo nos desafia a considerar os outros superiores a nós mesmos e buscar os interesses das outras pessoas em vez dos nossos próprios (Filipenses 2.3,4).

Mudar nossa perspectiva requer:
- Retirar a competição. Há competições não saudáveis em seus relacionamentos? Você tenta ser melhor que os outros sempre?
- Eliminar o orgulho. Você quer fazer as coisas sempre do seu jeito? Admite prontamente quando está errado? Adolescentes, é possível que seus pais estejam com a razão? Pais, é possível que seus filhos estejam certos?
- Aumentar a consideração. Você tem consideração pelos que o rodeiam? Aceita suas opiniões sobre determinadas coisas? Tem sensibilidade com relação às necessidades físicas e emocionais de seu cônjuge?

Dar preferência uns aos outros é um desafio monumental e é por isso que precisamos descansar no poder de Cristo para que ele possa nos ajudar. Paulo sugere isso em Efésios 5.21: "Sujeitem-se uns aos outros, por temor a Cristo". É no temor a Cristo que encontramos forças para colocar os outros em primeiro lugar. Quando respeitamos verdadeiramente a Cristo, mostramos nosso desejo de nos submeter aos outros e dar-lhes preferência.

A mudança em nossas perspectivas se evidenciará rapidamente em nosso comportamento quando:
- Permitirmos que alguém conte sua história sem interrompê-lo.
- Deixarmos que outro escolha o restaurante.
- Ouvirmos com interesse e atenção.
- Deixarmos outra pessoa receber os créditos.
- Celebrarmos sinceramente as vitórias dos outros.
- Servirmos nosso pequeno grupo sem segundas intenções.

- Orarmos fervorosa e constantemente pelas necessidades de outras pessoas.

Faça uma lista em seu diário, hoje, colocando cinco meios específicos pelos quais você pode demonstrar preferência a familiares ou a membros de seu pequeno grupo. Você descobrirá uma alegria incrível nesse estilo de vida — que cede seus direitos. Perceberá também que "Há maior felicidade em dar do que em receber" (Atos 20.35).

PARA PENSAR:
Dê a preferência aos outros.

VERSÍCULO PARA MEMORIZAR:
... humildemente considerem os outros superiores a si mesmos.
Filipenses 2.3

QUESTÃO PARA CONSIDERAR:
De que forma ou em quais situações você precisa praticar o "colocar-se em segundo lugar"?

Diário — Dia 26

Tema: Estamos unidos para crescer juntos.

Dia 27
Confessando uns aos outros

... confessem os seus pecados uns aos outros e orem uns pelos outros para serem curados.
Tiago 5.16

O propósito da confissão de pecados não é a desgraça, mas a graça.

Quando a Bíblia usa o termo *confissão*, quer dizer literalmente *dizer o mesmo*.

Ao confessarmos, estamos dizendo o mesmo que Deus diz sobre o pecado. Significa que entendemos e assumimos a responsabilidade por nosso pecado. Confessamos porque estamos com um coração arrependido que deseja obedecer e agradar a Deus, e não meramente porque fomos surpreendidos fazendo algo errado.

Para quem confessamos? Devemos fazê-lo a Jesus ou às pessoas? A resposta é: a ambos. A Bíblia ensina que devemos confessar aos dois. O apóstolo João escreveu: "Se confessarmos os nossos pecados, ele é fiel e justo para perdoar os nossos pecados e nos purificar de toda injustiça" (1João 1.9). A Escritura é clara ao dizer que somente Cristo pode perdoar nossos pecados e que, como cristãos, podemos nos aproximar dele a qualquer hora e lugar que ele nos perdoará.

É importante notar que esse perdão diz respeito à comunhão, e não à filiação. João estava escrevendo aos cristãos sobre o que devem fazer quando pecam. Em outras palavras, você não precisa confessar seus pecados para poder voltar a pertencer à família de

Deus — você continua sendo membro dessa família —, você confessa seus pecados para restaurar sua comunhão com Deus.

Também devemos confessar nossos pecados uns aos outros: "... confessem os seus pecados uns aos outros e orem uns pelos outros para serem curados. A oração de um justo é poderosa e eficaz" (Tiago 5.16). Repare que a confissão que fazemos uns aos outros é para sermos curados, e não para sermos perdoados. O perdão vem somente de Deus, mas a cura vem por meio da confissão em comunidade. A confissão da qual Tiago fala não é resultado de um interrogatório, mas resultado de um coração contrito, que voluntariamente reconhece o pecado. "Quando alguém for culpado de qualquer dessas coisas, confessará em que pecou" (Levítico 5.5).

Então, em que situação isso deve ocorrer na igreja? Muitas confissões não têm de acontecer na reunião maior da congregação. Também não precisa ser na classe da escola dominical, na qual o foco é normalmente o estudo da Palavra. O melhor lugar para aplicar Tiago 5.16 é no pequeno grupo. A confissão deve ocorrer num ambiente seguro e marcado pelo amor incondicional.

Confissão e confiabilidade andam juntas. As pessoas precisam ter a confiança de que, se compartilharem sua confissão, ela não será espalhada por aí. O grupo também tem de ser um lugar de graça. Não deve haver dúvida de que a pessoa será amada e aceita, não importa o que compartilhe.

Por que Deus quer que confessemos uns aos outros? Há pelo menos duas razões importantes:

Em primeiro lugar, ler sobre o perdão de Deus na Bíblia é bem diferente de ouvir e sentir a graça e o amor de Deus por meio das vozes de seus amigos. Quando confessamos e depois somos aceitos incondicionalmente por nosso pequeno grupo, o amor e o perdão de Deus se tornam mais palpáveis.

Em segundo lugar, a confissão reduz o poder de um segredo. O início da cura é a revelação. A confissão tem algo de libertação e purificação. Também permite que o grupo nos apoie e ore por nós durante nossas lutas. O propósito da confissão não é a desgraça, mas a graça. O propósito da confissão não é a humilhação, mas a restauração.

Finalmente, o que devemos fazer quando alguém nos faz uma confissão?

- Ouvir com ternura.
- Não tentar minimizar a seriedade do pecado.
- Não tentar consertar nada.
- Estar emocionalmente presente no momento e compartilhar da dor da pessoa.
- Afirmar seu amor e o perdão de Deus.
- Perguntar: "O que posso fazer para apoiar você"?
- Orar juntos por ela.

A ideia da confissão pode parecer estranha e desagradável. Mas é bíblica e importante para sua saúde espiritual. Deus está falando com você neste exato momento sobre áreas ocultas em sua vida que precisam ser confessadas?

PARA PENSAR:
O propósito da confissão não é a desgraça, mas sim, a graça.

VERSÍCULO PARA MEMORIZAR:
... confessem os seus pecados uns aos outros e orem uns pelos outros para serem curados. A oração de um justo é poderosa e eficaz.
Tiago 5.16

QUESTÃO PARA CONSIDERAR:
Se Deus está lhe falando sobre uma área oculta de sua vida que precisa ser confessada, o que fazer a respeito?

Diário — Dia 27

TEMA: ESTAMOS UNIDOS PARA CRESCER JUNTOS.

PERDOANDO UNS AOS OUTROS

Sejam bondosos e compassivos uns para com os outros, perdoando-se mutuamente, assim como Deus os perdoou em Cristo.
Efésios 4.32

É impossível haver comunhão sem perdão.

Como cristãos, somos chamados a nos reconciliar uns com os outros (2Coríntios 5.18). Precisamos constantemente perdoar e receber perdão uns dos outros para que não sejamos dominados por excessiva tristeza (2Coríntios 2.7).

Toda vez que alguém nos fere, temos uma escolha a fazer: concentrarmo-nos na retaliação ou na resolução.

A Bíblia fala com muita clareza sobre acertar as contas: "Tenham cuidado para que ninguém retribua o mal com o mal, mas sejam sempre bondosos uns para com os outros e para com todos" (1Tessalonicenses 5.15). No Reino de Deus, não é suficiente dizer que não vamos procurar a vingança; temos de buscar perdoar no íntimo do coração — perdoar mutuamente, "assim como Deus [nos] perdoou em Cristo" (Efésios 4.32).

Ao ler a Bíblia, fica evidente que perdão não é uma questão opcional para o seguidor de Cristo. Deus estabelece um padrão tão alto porque sabe quanto está em jogo. A amargura e a falta de perdão são como um câncer que o destruirá de dentro para fora. O perdão é o bisturi que remove o tumor da amargura. Isso não quer dizer que você sempre será capaz de perdoar e resolver completamente a situação. Talvez você tenha de continuar perdoando inúmeras vezes até saber que concedeu liberdade ao ofensor. Mas o perdão é uma escolha possível de ser feita e é aquela esperada por Deus.

No livro de Colossenses, Paulo nos dá as bases e a motivação para o perdão: "Suportem-se uns aos outros e perdoem as queixas que tiverem uns contra os outros. Perdoem como o Senhor lhes perdoou" (3.13). E em Romanos 5.8 lemos que "... Cristo morreu em nosso favor quando ainda éramos pecadores" (antes de pedirmos perdão). Quando lembramos do preço pago por Jesus, como não perdoar os outros?

Então, o que significa perdoar? Primeiramente, vamos admitir que não é fazer algo parecido com uma ginástica mental para apagar nossa dor; e não significa fingir que nunca fomos feridos. Em vez disso, perdoar significa não mais nos manter ofendidos com o ofensor. Isso quer dizer que você perdoou a dívida e intencionalmente escolheu liberar aquele que o feriu. Você ama profundamente "porque o amor perdoa muitíssimos pecados" (1Pedro 4.8).

Aqui estão alguns passos a ser dados em direção ao perdão:

- Fale com Deus antes de falar com a pessoa. Como Davi nos salmos, use a oração para exteriorizar verticalmente. Clame a Deus, diga exatamente como está se sentindo, ele não ficará surpreso ou chateado com sua raiva, dor, insegurança ou amargura.
- Sempre tome a iniciativa. Não importa se você é o ofensor ou o ofendido, Jesus disse que devemos dar o primeiro passo. "Portanto, se você estiver apresentando sua oferta diante do altar e ali se lembrar de que seu irmão tem algo contra você, deixe sua oferta ali, diante do altar, e vá primeiro reconciliar-se com seu irmão; depois volte e apresente sua oferta" (Mateus 5.23,24).
- Confesse sua responsabilidade no conflito. Se quer seriamente restaurar o relacionamento, deve começar admitindo

seus próprios erros ou pecados. Jesus disse que essa é a maneira de ver mais claramente a situação: "... tire primeiro a viga do seu olho, e então você verá claramente para tirar o cisco do olho do seu irmão" (Mateus 7.5).

Talvez você precise fazer uma pausa neste momento para ter uma conversa honesta com Deus sobre alguém a quem tem de perdoar. Seu Pai celestial sabe que não é fácil superar as dores. Mas ele o ajudará e lhe dará a graça necessária para perdoar. Então, faça-o agora. Você ficará feliz por fazê-lo.

PARA PENSAR:
É impossível haver comunhão sem perdão.

VERSÍCULO PARA MEMORIZAR:
Sejam bondosos e compassivos uns para com os outros, perdoando-se mutuamente, assim como Deus os perdoou em Cristo.
Efésios 4.32

QUESTÃO PARA CONSIDERAR:
Se você precisa perdoar alguém, quando irá fazê-lo? Se você agiu errado contra alguém, quando pedirá perdão?

Diário — Dia 28

Tema: Somos chamados para servir juntos.

Estando prontos para servir

Irmãos, vocês foram chamados para a liberdade. Mas não usem a liberdade para dar ocasião à vontade da carne; ao contrário, sirvam uns aos outros mediante o amor.
Gálatas 5.13

Somos salvos para servir uns aos outros.

Muitas pessoas fazem uma ideia errada sobre o "chamado" de Deus. Pensam tratar-se de algo que apenas missionários, pastores e outros líderes da igreja experimentam. Mas a Bíblia diz que todos são chamados para servir a Deus, por meio do serviço prestado aos outros. Não fomos salvos *pelo* servir, mas *para* servir.

O versículo de hoje nos dá três esclarecimentos sobre como servir a Deus por meio do serviço aos outros:

Primeiro: a base para o serviço prestado aos outros é a salvação. Paulo diz: "Vocês foram chamados para a liberdade" (Gálatas 5.13). Não se pode servir a Deus antes de ser liberto por Jesus. É um pré-requisito para o serviço. Até experimentar o poder transformador da graça de Deus em sua vida, você está muito escravizado a seus próprios hábitos, mágoas e entraves para pensar nos outros. Sem a liberdade do perdão, você acaba servindo por razões erradas: para tentar receber a aprovação dos outros, acabar com sua dor, remediar sua culpa, ou impressionar Deus. O serviço motivado por essas razões ilegítimas está fadado a deixá-lo exausto e amargurado no final.

Segundo: a barreira que impede o serviço aos outros é o nosso egoísmo. Paulo adverte: "Não usem a liberdade para dar ocasião à vontade da carne..." (Gálatas 5.13). A primeira razão pela qual não temos tempo ou energia para servir os outros é porque estamos preocupados com nossos compromissos, sonhos e prazeres. No final dos anos 60, o movimento hippie espalhou-se por São Francisco e depois pelos Estados Unidos. Os hippies eram, na maioria, jovens universitários que se rebelaram contra a autoridade e alardearam sua liberdade por meio de desculpas para o uso livre de sexo e drogas. Dormiam no Parque Golden Gate e mendigavam em vez de trabalhar.

Orgulhosamente se intitulavam "contracultura", mas faziam exatamente o que a maioria das pessoas em nossa cultura faz: cria desculpas para si mesma. Até hoje, anúncios na televisão apelam: "Obedeça à sua sede! Faça do seu jeito! Faça o que for melhor para você! Procure ser o primeiro!". Na maior parte do tempo, estamos mais interessados em *servir-nos* que em *serviço*.

No entanto, é no servir aos outros que adotamos o verdadeiro estilo de vida da contracultura. É muito mais radical buscar satisfazer as necessidades de outra pessoa do que as nossas. Somente uma minoria usa a vida para servir. Mas Jesus disse: "Se você insistir em salvar a sua própria vida, você a perderá. Somente aqueles que põem de lado a sua vida por minha causa e por causa da Boa Nova é que saberão realmente o que significa viver" (Marcos 8.35, *BV*).

Terceiro: O motivo para o serviço é o amor. Paulo diz: "Sirvam uns aos outros mediante o amor" (Gálatas 5.13). Esse é um ponto-chave para a construção da comunidade. Sem amor, o serviço não conta aos olhos de Deus. Lemos em 1Coríntios 13.3: "Ainda que eu dê aos pobres tudo o que possuo e entregue o meu corpo para ser queimado, se não tiver amor, nada disso me valerá". Deus está muito mais interessado em sua motivação ao servir do que em quão bem presta seu serviço aos outros. Ele está sempre olhando para o seu coração.

Nos próximos dias, examinaremos mais seis mandamentos "uns aos outros" — maneiras práticas com as quais seu pequeno grupo poderá servir outros e o restante de sua igreja-família. Hoje, no entanto, é o dia de preparar seu coração para essas lições. Não veja o servir como uma obrigação ou tarefa. Sirva com disposição e firme vontade, motivado pelo amor e pela gratidão a Jesus por tudo o que ele tem feito por você.

Depois, lembre-se de que servir na Terra é um treino para a eternidade. Além disso, você fica mais semelhante a Jesus quando serve aos outros. Depois de lavar os pés de seus discípulos, Jesus disse: "Eu lhes dei o exemplo, para que vocês façam como lhes fiz" (João 13.15).

PARA PENSAR:
Fomos salvos para servir uns aos outros.

VERSÍCULO PARA MEMORIZAR:
Cada um de nós deve agradar ao seu próximo para o bem dele, a fim de edificá-lo.
Romanos 15.2

QUESTÃO PARA CONSIDERAR:
Como você servirá alguém de sua igreja ou de seu pequeno grupo hoje?

Diário — Dia 29

Tema: Somos chamados para servir juntos.

Ajudando uns aos outros

Levem os fardos pesados uns dos outros e, assim, cumpram a lei de Cristo.
Gálatas 6.2

Devemos levar os fardos uns dos outros.

O sentido desse versículo é ajudar nossos irmãos e irmãs a carregar seus pesados fardos na vida — perdas terríveis, circunstâncias esmagadoras, um diagnóstico grave. São problemas que ameaçam nos oprimir e destruir, como o tremendo peso da cruz que Jesus carregou no Gólgota (João 19.17).

Da mesma forma que Simão, o cirineu, apoiou em seus ombros a pesada cruz de madeira para ajudar Jesus (Marcos 15.21), devemos ter essa atitude para com nossos amigos, mesmo que isso signifique carregar seus fardos por algum tempo. Martinho Lutero referiu-se a essa atitude como a lei do amor mútuo; como comunidade de cristãos, temos de trabalhar juntos para enfrentar os muitos desafios da vida (Gálatas 6.2).

Nossos atos de amor e de suporte uns para com os outros cumprem a "lei de Cristo". Juntos somos melhores quando nos ajudamos mutuamente a enfrentar os problemas em casa, em nossa carreira profissional, no casamento e na saúde. Edificamos nossa vida na promessa do Pai, que nunca nos abandona ou desampara (Deuteronômio 31.6), e demonstramos a mesma promessa a nossos familiares e amigos.

Alguns princípios básicos para enfrentarmos o sofrimento juntos:
- Abrir o coração para Deus. Passamos por uma série de emoções quando estamos enfrentando uma crise: medo, raiva, preocupação, depressão, ressentimento, desamparo. Nossos pequenos grupos podem ser uma arma poderosa, se nele desabafarmos com Deus (Salmos 62.8) e uns com os outros. "O Senhor está perto dos que têm o coração quebrantado e salva os de espírito abatido" (Salmos 34.18). Jesus disse: "Bem-aventurados os que choram, pois serão consolados" (Mateus 5.4).
- Ajudar outros a aceitar ajuda quando sofrerem. Não devemos permitir que membros de nosso grupo se isolem quando estiverem atravessando uma crise. Temos de oferecer ajuda, suporte, encorajamento — e nossa presença (Provérbios 18.24).
- Ser agradecidos juntos. Devemos encorajar-nos mutuamente a ficar livres de amargura (Hebreus 12.15), lembrando-nos de ser gratos, concentrando-nos no que temos no momento e não no que perdemos.
- Focalizar o verdadeiro valor. É comum que a crise nos ajude a clarear nossa visão sobre os valores, revelando-nos o que realmente importa na vida. Jesus disse: "... a vida de um homem não consiste na quantidade dos seus bens" (Lucas 12.15).
- Descansar em Jesus. Deixemos Cristo trazer estabilidade para dentro da crise. Deus cuida constantemente de seus filhos, ajudando-os a enfrentar más notícias (Salmos 112.6,7).
- Ouvir as orientações de Deus. " 'Porque sou eu que conheço os planos que tenho para vocês', diz o Senhor, 'planos

de fazê-los prosperar e não de lhes causar dano, planos de dar-lhes esperança e um futuro' " (Jeremias 29.11).
- Confiar na mão de Deus. "Por isso não temeremos, ainda que a terra trema e os montes afundem no coração do mar" (Salmos 46.2).

Inevitavelmente, os membros de seu pequeno grupo enfrentarão crises e, quando isso ocorrer, você deverá olhar para eles como se fossem seus próprios, oferecendo a eles suporte palpável e encorajamento constante. Um dia, talvez você também necessite de ajuda para atravessar um período difícil.

Trabalhando juntos poderemos confiantemente dizer que fomos

> ... muito além da nossa capacidade de suportar, ao ponto de perdermos a esperança da própria vida. De fato, já tínhamos sobre nós a sentença de morte, para que não confiássemos em nós mesmos, mas em Deus, que ressuscita os mortos. Ele nos livrou e continuará nos livrando de tal perigo de morte. Nele temos colocado a nossa esperança de que continuará a livrar-nos (2Coríntios 1.8-10).

PARA PENSAR:
Devemos levar os fardos uns dos outros.

VERSÍCULO PARA MEMORIZAR:
Levem os fardos pesados uns dos outros e, assim, cumpram a lei de Cristo.
Gálatas 6.2

QUESTÃO PARA CONSIDERAR:
Você conhece alguém que está precisando de sua ajuda para carregar seus fardos hoje?

Diário — Dia 30

Tema: Somos chamados para servir juntos.

Dia 31
SENDO GENEROSOS UNS COM OS OUTROS

*Os que criam mantinham-se unidos e tinham
tudo em comum.*
Atos 2.44

Você tem mais a compartilhar do que imagina.

A igreja do primeiro século entendeu isso; sua vida em comunidade é descrita em Atos 2.44. Se qualquer pessoa da congregação tivesse uma necessidade, todos se mobilizavam para supri-la. Alguns cristãos foram dirigidos pelo Espírito Santo para vender suas propriedades e dar o dinheiro aos que necessitavam (Atos 4.34,35).

Isso não é comunismo, é comunidade. Significa admitir que conservar mais do que poderíamos necessitar é agir errado (2Reis 7.8,9). Também significa que devemos administrar "fielmente a graça de Deus em suas múltiplas formas" (1Pedro 4.10). Tudo o que temos é uma dádiva perfeita (Tiago 1.17) e vem do nosso Pai celestial, que derrama sobre nós todas as bênçãos espirituais nas regiões celestiais porque pertencemos a Cristo (Efésios 1.3). Doamos generosamente porque Deus nos dá generosamente.

Talvez você não tenha muito dinheiro para doar, mas pode oferecer seu tempo e seus talentos; isso representa grande parte da generosidade. Você também pode ser generoso com a fartura de seus bens. Por exemplo, você pode ceder:

- roupas de bebê guardadas no armário;
- um computador velho;
- ingressos extras para um evento esportivo;

- milhas de voo acumuladas;
- um dos presentes repetidos que recebeu no casamento.

Imagine quanto você abençoaria outros se simplesmente fizesse uma faxina em seus armários e passasse adiante sua fartura — doar aquilo que você não usa, porque certamente alguém usará. Quando você passa adiante esses itens, está servindo de modelo de amor incondicional, que doa aos outros liberalmente, sem cobranças.

Mas há um ponto importante: você não tem de desfazer-se de algo para exercer o compartilhar! Você poderá simplesmente emprestar aos outros. Muitas coisas podem ser compartilhadas:

- uma garagem, que atualmente está abrigando ferramentas;
- uma casa de férias, que está vazia;
- o carro que não está sendo utilizado no momento;
- um móvel encostado no canto da casa;
- alguns pratos que estão no fundo do armário, que não usamos.

Quando não dividimos, impedimos a comunidade de cristãos de experimentar a bênção completa de Deus, e estamos sendo maus mordomos de tudo o que Deus tem nos dado. Isso quer dizer que algumas dádivas de Deus não têm sido usadas em toda a extensão possível. E, principalmente, estamos roubando de nós mesmos a alegria de viver generosamente entre nossos irmãos e irmãs.

Há outra razão pela qual precisamos aprender a ser generosos uns com os outros: isso edifica nossa fé para sermos generosos com o mundo. Cerca de 3 bilhões de pessoas, quase a metade do mundo, vivem com menos de 2 dólares por dia. Seu pequeno grupo poderia reformular a vida de uma vila inteira em um país do Terceiro Mundo se vivesse de forma generosa. Se economizarmos em coisas como lanches e roupas, com um propósito específico, podemos levantar o suficiente para sustentar uma vila em um país do Terceiro Mundo por um mês!

Aqui estão algumas características que devemos desenvolver à medida que aprendemos a ser generosos:

- Lembrar que tudo pertence a Deus. Nossa colheita vem de Deus, de quem vem inclusive a semente para crescer na lavoura: "Aquele que supre a semente ao que semeia e o pão ao que come, também lhes suprirá e multiplicará a semente e fará crescer os frutos da sua justiça" (2Coríntios 9.10).
- Dar com um coração agradecido. Deus não quer seus bens; ele quer seu coração (Mateus 6.21). O que o motiva a contribuir? Paulo escreveu: "... Deus ama quem dá com alegria" (2Coríntios 9.7).
- Nunca contribuir sob pressão. Deus quer que "cada um dê conforme determinou em seu coração" (2Coríntios 9.7). Isso o protegerá de histórias tristes e manipulação. Caso se sinta pressionado a contribuir, não o faça. Deus quer que você reflita cuidadosamente sobre sua generosidade, e depois contribua voluntariamente. Seja sensível aos membros de seu pequeno grupo para que decidam o que fazer com o que Deus lhes deu para repartir.

Você realmente tem mais a compartilhar do que imagina. A Bíblia promete: "O generoso prosperará; quem dá alívio aos outros, alívio receberá" (Provérbios 11.25). Aprenda a viver generosamente. Você será enriquecido no final.

PARA PENSAR:
Você tem mais a compartilhar do que imagina.

VERSÍCULO PARA MEMORIZAR:
Cada um dê a conforme determinou em seu coração, não com pesar ou por obrigação, pois Deus ama quem dá com alegria.
2Coríntios 9.7

QUESTÃO PARA CONSIDERAR:
Quanto você se prende a seus bens materiais? Você os possui ou eles possuem você?

Diário — Dia 31

Tema: Somos chamados para servir juntos.

Dia 22
Sendo humildes uns com os outros

... jovens, sujeitem-se aos mais velhos a. Sejam todos humildes uns para com os outros, porque "Deus se opõe aos orgulhosos, mas concede graça aos humildes"
1 Pedro 5.5

Lembrem-se de esquecer-se de si mesmos.

A vida do servo requer humildade, ou capacidade de esquecer-se de si mesmo o suficiente para prestar ajuda aos outros (Filipenses 2.4). Devemos desenvolver atitude semelhante à de Jesus, quando "sendo Deus" voluntariamente assumiu a natureza de servo (Filipenses 2.6,7), e buscar fazer o bem às pessoas entre nós, perguntando-lhes "como posso ajudar?" (Romanos 15.2).

Certa noite, Jesus respondeu essa questão sobre serviço quando

levantou-se da mesa, tirou sua capa e colocou uma toalha em volta da cintura. Depois disso, derramou água numa bacia e começou a lavar os pés dos seus discípulos, enxugando-os com a toalha que estava em sua cintura (João 13.4,5).

Lavar os pés de alguém era tarefa reservada aos servos mais simples; mas Jesus, sem dizer nada, demonstrou que não há tipo de serviço simples demais para seu coração cheio de amor. Ele colocou as necessidades de seus discípulos acima das suas, mesmo com a sombra de sua morte pairando sobre o cenáculo.

A chave para a humildade é conhecer a si próprio; quando você compreende quem é, fica à vontade para segurar com firmeza a toalha, mesmo longe dos holofotes. Jesus não se importou de ser confundido como um simples escravo porque sabia qual era sua missão na vida. Estava mais interessado em servir os outros do que em impressioná-los.

O centurião de Lucas 7 foi um homem de notável humildade. Jesus estava a caminho de sua casa quando recebeu a mensagem enviada por um servo:

> Senhor, não te incomodes, pois não mereço receber-te debaixo do meu teto. Por isso, nem me considerei digno de ir ao teu encontro. Mas dize uma palavra, e o meu servo será curado. Pois eu também sou homem sujeito à autoridade, e com soldados sob o meu comando. Digo a um: "Vá, e ele vai; e a outro: Venha, e ele vem. Digo a meu servo: Faça isto, e ele faz". (Lucas 7.6-8)

Ele poderia ter insistido para que Jesus completasse o caminho até sua casa. Isso não o colocaria em evidência em sua comunidade? Mas a necessidade de seu servo era de ser curado e não de impressionar a cidade.

Ainda mais extraordinária é a forma como o próprio soldado descreve a Jesus. Em vez de enfatizar seu alto posto como centurião, chama atenção para o fato de ocupar um lugar sob autoridade de alguém. Ele entende que sua autoridade para dar ordens estava interligada à sua capacidade de receber ordens. Seu valor e dignidade não tinham nada a ver com sua posição numa hierarquia.

Humildade simplesmente significa que temos uma avaliação imparcial de nossas forças e fraquezas. Compreendemos nossa maneira de ser e nossos dons, estamos conscientes disso, mas não ficamos nos lamuriando por causa de nossas limitações. Vemos tudo o que temos como dádiva de Deus e sabemos que sem ele não seríamos nada.

Nosso primeiro e mais crítico passo em direção ao desenvolvimento da humildade semelhante à de Jesus é agarrar firme a grandeza do amor de Deus por nós. Quando deixamos que a largura, a altura, a profundidade e o comprimento de seu amor penetrem em nosso íntimo (Efésios 3.18), vemos nossa insegurança ser levada e somos capacitados para servir os outros com autêntica humildade.

O segundo passo é render nosso tempo a Deus. Oremos:

"Deus, vou seguir seus planos para minha vida. Tenho sonhos, planos, alvos e ambições, mas sei que estou no mundo por um motivo, para um propósito, e escolho, por minha vontade, cumprir esse plano. Sei que o Senhor não o revelará de uma só vez para mim. Vou conhecê-lo aos poucos, mas estou disposto a dar um passo de cada vez, sabendo que seu plano é melhor do que o meu".

Jesus não se importou de ser confundido com um servo. E você?

PARA PENSAR:
Humildade é resultado de saber quem você é.

VERSÍCULO PARA MEMORIZAR:
Sejam todos humildes uns para com os outros...
1Pedro 5.5

QUESTÃO PARA CONSIDERAR:
Como você se sente quando é tratado como servo?

Diário — Dia 32

Tema: Somos chamados para servir juntos.

Dia 33
Usando nossos talentos para abençoar uns aos outros

Cada um exerça o dom que recebeu para servir os outros, administrando fielmente a graça de Deus em suas múltiplas formas.
1Pedro 4.10

Descubra o ponto de encontro entre a vontade de Deus e os dons que você recebeu.

"Temos diferentes dons, de acordo com a graça que nos foi dada...", escreveu o apóstolo Paulo (Romanos 12.6). Apesar de estar falando especificamente de dons espirituais nessa passagem, seu argumento abrange toda capacidade dada por Deus a nós. Devemos usar essas capacidades a fim de abençoar os outros.

A Bíblia está repleta de exemplos do uso que as pessoas fizeram dos dons que receberam de Deus para abençoar os outros, e assim glorificar a Deus. Essa lista de dons é ilimitada e inclui, por exemplo, habilidades artísticas, arquitetura, administração, culinária, construção naval, oratória, arte de desenhar e de bordar, agricultura, pesca, jardinagem, liderança, gerenciamento, alvenaria, composição musical, fabricação de armas, artesanato, pintura, capacidade de velejar, de vender e de servir como soldado, alfaiataria, magistério, literatura e poesia.

Deus quer que usemos nossos dons de modo "criativo", quebrando as barreiras que limitam nossos conceitos de serviço cristão a uma pequena lista de funções dentro das tradições (Hebreus 10.24). Ele quer que exerçamos nossos dons partindo da perspectiva de que, com qualquer dom que recebemos, podemos trabalhar para glorificar a Deus (1Coríntios 10.31). O Senhor lhe deu habilidade, interesse, talento, dom, personalidade e experiência de vida justamente por esse motivo. Mesmo assim, a maioria desses dons permanece oculta, desconhecida e sem uso.

Você se surpreenderia ao saber que estudos já indicaram que os cristãos comuns possuem de 500 a 700 habilidades diferentes — todas destinadas a contribuir com o corpo de Cristo? Você não precisa se preocupar achando que alguns de seus talentos são comuns demais; eles ainda possuem valor eterno para Deus. Jesus disse: "E se alguém der mesmo que seja apenas um copo de água fria a um destes pequeninos, porque ele é meu discípulo, eu lhes asseguro que não perderá a sua recompensa" (Mateus 10.42).

Como num vitral, nossas diferentes personalidades refletem a luz de Deus, em cores e padrões variados. Ele nos moldou de forma a sermos únicos, sem cópias — nenhum de nós tem a mesma mistura de fatores, o que nos torna singulares. Isso significa que ninguém na terra jamais será capaz de servir os outros da mesma maneira com que você foi capacitado a fazer: "... somos criação de Deus realizada em Cristo Jesus para fazermos boas obras, as quais Deus preparou antes para nós as praticarmos" (Efésios 2.10).

Uma das maneiras de entrar em contato com seus dons e habilidades é olhar para sua FORMA. Podemos usar esse acróstico para ajudá-lo a lembrar-se do desenho artístico de Deus ao criar você:

- Formação espiritual — Deus lhe deu dons espirituais para usar no ministério (Romanos 12; 1Coríntios 12; Efésios 4).
- Opção do coração — seu coração determina por que você diz determinadas coisas, por que tem diferentes sentimentos e por que age da maneira como age (Provérbios 4.23; Mateus 12.34).
- Recursos pessoais — são talentos naturais que Deus lhe deu a fim de cumprir seus propósitos. Êxodo 31.3 e 4 afirma que Deus deu "destreza, habilidade e plena capacidade artística para desenhar e executar trabalhos em ouro, prata e bronze".

- Modo de ser — sua personalidade influencia no uso de seus dons. Por exemplo, duas pessoas podem ter o dom de evangelização, sendo uma delas introvertida e a outra extrovertida, esse dom terá expressões bem diferentes.
- Áreas de experiência — há cinco áreas de experiência que influenciarão no seu serviço aos outros: educacional, vocacional, espiritual, ministerial e de experiências árduas.

Você se sentirá bem ao fazer o que Deus planejou que fizesse usando seus talentos para abençoar os outros. Phil Vischer, autor de *Os vegetais* (série animada) disse uma vez: "Não há lugar mais feliz do que a interseção entre a vontade de Deus e os talentos que você recebeu dele".

Abaixo seguem algumas questões para ajudá-lo a descobrir esse ponto de interseção:

- O que sei fazer bem e posso oferecer para servir às outras pessoas?
- O que sei e posso ensinar aos outros?
- O que sei fazer que pode ser ofertado como bênção a alguém?

Peça aos membros de seu grupo que o ajude a determinar as coisas que você desempenha bem, e como pode usá-las em seu ministério.

PARA PENSAR:
Descubra o ponto de encontro entre a vontade de Deus e os dons que você recebeu.

VERSÍCULO PARA MEMORIZAR:
E consideremos uns aos outros para nos incentivarmos ao amor e às boas obras.
Hebreus 10.24

QUESTÃO PARA CONSIDERAR:
Como você pode usar suas habilidades para servir a Deus por meio do serviço aos outros?

Diário — Dia 33

Tema: Somos chamados para servir juntos.

SACRIFICANDO-NOS UNS PELOS OUTROS

Nisto conhecemos o que é o amor: Jesus Cristo deu a sua vida por nós, e devemos dar a nossa vida por nossos irmãos.
1João 3.16

Serviço levado a sério requer sacrifícios sérios.

Mesmo assim, os cristãos ainda têm vida que requer pequenos sacrifícios, ou até nenhum. Estão familiarizados com João 3.16, "Porque Deus tanto amou o mundo que deu o seu Filho Unigênito...", mas precisam se familiarizar da mesma forma com 1João 3.16: "Nisto conhecemos o que é o amor: Jesus Cristo deu a sua vida por nós, e devemos dar a nossa vida por nossos irmãos".

O apóstolo Paulo disse que nosso trabalho como servos de Deus é validado quando nos doamos durante

> ... sofrimentos, privações e tristezas; em açoites, prisões e tumultos; em trabalhos árduos, noites sem dormir e jejuns; em pureza, conhecimento, paciência e bondade; no Espírito Santo e no amor sincero; na palavra da verdade e no poder de Deus; com as armas da justiça, quer de ataque, quer de defesa; por honra e por desonra; por difamação e por boa fama; tidos por enganadores, sendo verdadeiros; como desconhecidos, apesar de bem conhecidos; como morrendo, mas eis que vivemos; espancados, mas não mortos; entristecidos, mas sempre alegres; pobres, mas enriquecendo muitos outros; nada tendo, mas possuindo tudo (2Coríntios 6.4-10).

Custasse o que custasse, Paulo acreditava que o sacrifício para enriquecer a vida dos outros para a glória de Cristo valia a pena (Filipenses 3.7). Ele mantinha seus olhos fixos no prêmio final (Filipenses 3.14). Seguia Jesus, de tal maneira que pôde suportar qualquer coisa em seu caminhar: cruz, vergonha, o que fosse (Hebreus 12.2). Jesus deixou de lado seus privilégios como Deus e assumiu ser semelhante aos homens (Filipenses 2.7), a fim de que os que cressem nele pudessem ser "selados em Cristo com o Espírito Santo da promessa" (Efésios 1.13).

Eu e você somos beneficiados diariamente pelo sacrifício de outros cristãos. Uma ilustração simples sobre isso é o local em que vocês se reúnem semanalmente para o culto. Você já parou para pensar em quantas pessoas se sacrificaram para que você tenha um lugar para adorar?

Gerações anteriores se sacrificaram em seu benefício e agora é sua vez de servir ao propósito de Deus em sua geração (Atos 13.36). Deus não pede a nenhum de nós que dê mais do que Jesus deu.

> Nisto consiste o amor: não em que nós tenhamos amado a Deus, mas em que ele nos amou e enviou seu Filho como propiciação pelos nossos pecados. Amados, visto que Deus assim nos amou, nós também devemos amar uns aos outros (1João 4.10,11).

Nosso sacrifício semelhante ao de Cristo deve ser:
- Voluntário. Jesus disse que sua vida não seria tirada dele, mas que a entregaria livremente (João 10.18). Da mesma forma, Estêvão, o primeiro mártir cristão, ofereceu sua vida voluntariamente (Atos 7.59,60). Talvez não nos peçam para morrer por nossa fé, mas Jesus espera que morramos diariamente para nossos interesses próprios, para o bem dos outros (Lucas 9.23).
- Valioso. O rei de Israel, Davi, disse que não ofereceria sacrifícios a Deus que não lhe custassem nada (2Samuel 24.24).

Servir a Deus tem seu preço e vai além do custo financeiro. Talvez seja necessário desistir de nossos sonhos, expectativas, reputação ou aposentadoria — seja o que for que Deus peça de nós, a fim de enriquecer outras pessoas.

- Constante. Devemos nos derramar uns pelos outros em atitudes de amor (Efésios 4.2), fazendo pelos outros o que não podem fazer por si mesmos; temos de fazer isso com constância e não quando nos convém.

Como sacrificar-se diariamente?

- Empregando tempo em cuidar de pessoas ao seu redor.
- Assumindo a posição ao lado de Jesus, mesmo que isso ameace sua reputação.
- Defendendo outro cristão, mesmo arriscando ser rejeitado.
- Sustentando pessoas de seu pequeno grupo que queiram dedicar-se ao trabalho missionário.
- Usando suas férias num ministério.

Quando estamos dispostos a seguir os mandamentos das Escrituras de oferecer nosso corpo como sacrifício vivo (Romanos 12.1), descobrimos que servir uns aos outros é o aspecto central da "boa, agradável e perfeita vontade de Deus" para nossa vida (Romanos 12.2).

PARA PENSAR:
Serviço levado a sério requer sacrifícios sérios.

VERSÍCULO PARA MEMORIZAR:
... devemos dar a nossa vida por nossos irmãos.
1João 3.16

QUESTÃO PARA CONSIDERAR:
Que sacrifícios você pode fazer para enriquecer a vida de muitos?

Diário — Dia 34

Tema: Somos chamados para servir juntos.

Cooperando uns com os outros *Dia 35*

Pois nós somos cooperadores de Deus; vocês são lavoura de Deus e edifício de Deus.
1Coríntios 3.9

Juntos somos melhores.

O plano de Deus é que sejamos seus parceiros e parceiros uns dos outros para cumprir seus propósitos. A parceria é formada de partes. Aprendemos no Dia 15 que "assim também em Cristo nós, que somos muitos, formamos um corpo, e cada membro está ligado a todos os outros" (Romanos 12.5).

Aprendemos também que Deus quer unidade na comunidade para termos "o mesmo modo de pensar, o mesmo amor, um só espírito e uma só atitude" (Filipenses 2.2). Nossa diversidade é um aspecto significativo da marca registrada de Deus ao criar essa unidade. Estamos juntos no corpo de Cristo e "cada um de [nós], individualmente, é membro desse corpo" (1Coríntios 12.27).

Vemos isso exemplificado semanalmente em nossa igreja em Saddleback — pessoas com diferentes talentos e habilidades reúnem-se para preparar todo o nosso espaço para os cultos. Alguns trabalham na limpeza, outros na organização, algumas pessoas preparam o ensino, outras a recepção — todos os indivíduos combinados em um corpo para falar de Jesus a outros. E somos somente uma igreja — outras partes do corpo estão fazendo trabalho similar por todo o mundo.

Esse é um paradoxo em nossa crença — encontramos nosso propósito único e específico na vida depois que entregamos nosso individualismo ao bem de muitos. Tornamo-nos um só coração e uma só mente com Deus e com os outros cristãos (João 17.21,22), e assim, dentro da segurança dessa comunidade, nosso verdadeiro valor como indivíduos emergirá.

Juntos, entramos numa parceria obstinada; com uma tarefa enorme — dizer ao mundo que Deus enviou Jesus (João 17.21) — não podemos nem pensar na possibilidade de fazer isso sozinhos ou sem Deus.

> Antes, seguindo a verdade em amor, cresçamos em tudo naquele que é a cabeça, Cristo. Dele todo o corpo, ajustado e unido pelo auxílio de todas as juntas, cresce e edifica-se a si mesmo em amor, na medida em que cada parte realiza a sua função (Efésios 4.15,16).

Juntos, somos melhores. Esses 40 dias de estudo têm o objetivo de ajudar-nos a enxergar nossas ligações mútuas e encorajar-nos a começar a trabalhar juntos, como parceiros interdependentes numa comunidade. Os membros de nosso pequeno grupo não estão juntos por acaso. Certamente a mão de Deus o montou com as partes necessárias para "um momento como este" (Ester 4.14) e para que, coletivamente, aprendessem a amar, ter comunhão, crescer, servir, engajar-se em uma missão e adorar juntos.

Identifiquem, no grupo, quais os pontos fortes de cada um para confirmar e encorajar seus talentos. Esse é um passo importante ao trabalhar juntos em seu projeto missionário.

Reflita sobre seu lugar no corpo de Cristo e anote em seu diário de hoje — pense em seu papel dentro do pequeno grupo e da igreja.

Uma nota para aplicação: planejem um dia de atividade em que possam unir-se a outros pequenos grupos para um dia de faxina na igreja. Ande pelo local como se você fosse um visitante e faça os reparos que achar necessários para melhorar o lugar.

PARA PENSAR:
Juntos somos melhores.

VERSÍCULO PARA MEMORIZAR:
Pois nós somos cooperadores de Deus; vocês são lavoura de Deus e edifício de Deus.
1Coríntios 3.9

QUESTÃO PARA CONSIDERAR:
Como seus dons e habilidades podem complementar os de outras pessoas em seu grupo?

Diário — Dia 35

Tema: Somos criados para adorar juntos.

Adorando semanalmente

Em seis dias realizem os seus trabalhos, mas o sétimo dia é sábado, dia de descanso e de reunião sagrada. Não realizem trabalho algum; onde quer que morarem, será sábado dedicado ao Senhor.
Levítico 23.3

A vida tem um ritmo.

Você sabia que Deus ordena um dia inteiro de descanso, toda semana? Deus considera isso tão importante que incluiu na lista dos "dez mais" — as regras de vida, os Dez Mandamentos. Está registrado no quarto mandamento, junto do não matarás, não cometerás adultério e não roubarás! Veja, então, como Deus leva a sério esse assunto!

A Bíblia dá a esse dia o nome de sábado, um dia totalmente dedicado ao descanso e ao culto comunitário. Não deve ser aproveitado para o término de um trabalho ou planejamento de reuniões. É para descanso e culto em comunidade, e mais, não é opcional. Se você não está reservando um dia da semana para ser seu sábado, está quebrando um dos Dez Mandamentos, semanalmente.

Por que o sábado semanal é tão importante? Jesus explicou que esse dia foi feito por causa do homem e não o homem por causa do sábado (Marcos 2.27). Jesus sabia que duas das nossas maiores necessidades semanais são o descanso e a adoração em comunidade. Faz parte do ritmo que Deus planejou para a vida.

Mas hoje, com nosso estilo de vida a passos rápidos, os sábados e os domingos são frequentemente mais agitados do que o restante dos dias. Abarrotamos os finais de semana com todo o tipo de atividade possível, de modo que não temos tempo de descansar nem de prestar culto a Deus.

Para muita gente adorar em conjunto é a última alternativa e só o fazem quando é conveniente e não interfere em seus planos. Outros dizem: "Eu faço meu culto quando estou ao ar livre, na natureza, acampando ou passeando". Mas não é esse tipo de culto que Deus ordenou que fizéssemos uma vez por semana. A adoração deve ser feita em conjunto, com outros cristãos; Deus quer que nos juntemos com o restante de sua família para louvá-lo em comunidade. Quando o fazemos, ele vem ao nosso encontro. Jesus disse: "... onde se reunirem dois ou três em meu nome, ali eu estou no meio deles" (Mateus 18.20).

Na adoração comunitária, cultuamos de maneiras que não são possíveis quando estamos sozinhos. Quando cantamos e celebramos juntos, oramos e confessamos juntos, compartilhamos e meditamos juntos, nossa fé é reafirmada, nossa esperança reforçada e nosso amor renovado. Isso só pode ocorrer em comunidade.

Durante esta semana, estudaremos diversos modos de aprofundar a adoração comunitária, mas quero desafiá-lo hoje a levar a sério esse mandamento de Deus. Se você tem a tendência a ser um viciado em trabalho e nunca para e descansa, ou se seu compromisso com a adoração semanal é casual, baseado em conveniência em vez de compromisso, você precisa considerar o sábado. Memorize o versículo bíblico de hoje para ajudá-lo a lembrar-se do ritmo de uma vida equilibrada e saudável. Sente-se com seu pequeno grupo neste final de semana durante o culto no domingo.

"Não deixemos de reunir-nos como igreja, segundo o costume de alguns, mas procuremos encorajar-nos uns aos outros, ainda mais quando vocês veem que se aproxima o Dia" (Hebreus 10.25).

PARA PENSAR:
No sábado "parem de lutar! Saibam que eu sou Deus!
(Salmos 46.10)

VERSÍCULO PARA MEMORIZAR:
Em seis dias realizem os seus trabalhos, mas o sétimo dia é sábado, dia de descanso e de reunião sagrada. Não realizem trabalho algum; onde quer que morarem, será sábado dedicado ao Senhor.
Levítico 23.3

QUESTÃO PARA CONSIDERAR:
O que você precisa fazer para organizar suas prioridades a fim de acertar o passo com o ritmo de Deus?

Diário — Dia 36

Tema: Somos criados para adorar juntos.

Preparando-nos para adorar

*Ele agiu mal porque não dispôs o seu coração
para buscar o S*ENHOR*.*
2Crônicas 12.14

Quando adoramos a Deus com coração despreparado, pecamos.

Deus não espera que nosso culto comunitário seja perfeito, mas quer que tenha um objetivo, que cheguemos ao culto com o coração preparado e a mente livre, despreocupada. Nessa oferta comunitária que fazemos a Deus, entramos em sua presença — na presença de um ser santo, o único e verdadeiro Deus — com ações de graças (Salmos 95.2).

Nossa adoração comunitária é, na verdade, uma extensão do andar diário com Deus, em que nossas atitudes e ações já servem de adoração ao Criador (Romanos 12). O amor que temos uns pelos outros é outra forma de adoração, que se torna um elemento crítico em nossa habilidade de "... com um só coração e uma só voz [glorificarmos] ao Deus e Pai de nosso Senhor Jesus Cristo" (Romanos 15.6). Se falharmos ao praticar as lições "uns aos outros" que temos estudado nas últimas semanas, talvez estejamos impedindo que nossa igreja tenha a condição de louvar a Deus com uma só voz.

Temos de nos limpar de qualquer coisa que impeça nossa comunhão com Deus. O salmista declara:

"Quem poderá subir o monte do SENHOR? Quem poderá entrar no seu Santo Lugar? Aquele que tem as mãos limpas e o coração puro, que não recorre aos ídolos nem jura por deuses falsos [...] São assim aqueles que o buscam, que buscam a tua face, ó Deus de Jacó" (Salmos 24.3-4,6).

Nossas mãos e coração foram purificados por meio da morte e ressurreição do nosso Salvador, Jesus Cristo. É somente por ele que nosso culto se torna aceitável a Deus. "Por meio de Jesus, portanto, ofereçamos continuamente a Deus um sacrifício de louvor, que é fruto de lábios que confessam o seu nome" (Hebreus 13.15).

Preparar-se para o culto significa diminuir o ritmo, olhar para dentro de si e começar a meditar no que Deus tem feito por nós. Isso encherá nosso coração de gratidão de modo que possamos expressá-la por meio do louvor: "Minha alma se gloriará no SENHOR; ouçam os oprimidos e se alegrem." (Salmos 34.2).

Falta de harmonia dentro da igreja também pode impedir a adoração comunitária. Jesus considerava nossa unidade mútua tão importante que disse que deveríamos parar nosso ato de adoração e sair para acertar as coisas com todas as pessoas que tivessem algo contra nós. Só depois de consertar o relacionamento é que poderíamos voltar a adorar:

> Mas eu lhes digo que qualquer que se irar contra seu irmão e estará sujeito a julgamento. Também, qualquer que disser a seu irmão: "Racá", será levado ao tribunal. E qualquer que disser: "Louco!", corre o risco de ir para o fogo do inferno. Portanto, se você estiver apresentando sua oferta diante do altar e ali se lembrar de que seu irmão tem algo contra você, deixe sua oferta ali, diante do altar, e vá primeiro reconciliar-se com seu irmão; depois volte e apresente sua oferta. (Mateus 5.22-24)

Quão rapidamente consertados poderiam ser os relacionamentos dentro da igreja se todos concordássemos em não realizar cultos semanais até estar em paz uns com os outros!

Quando estamos reunidos para o culto, uma vez que tenhamos examinado nosso coração, estaremos preparados como igreja para a adoração, dizendo a Deus três coisas:

- Estou aqui para me concentrar no Senhor, ó Deus, e em mais nada. Ajude-me a limpar minha mente e a adorá-lo com um coração não dividido. Quero estar em sua presença com todo o meu ser (Salmos 86.11).
- Vim para dar e não para receber. Desejo buscar sua face e não suas mãos. Não tenho outro plano a não ser servi-lo, ó Senhor (Salmos 41.13).
- Vim para oferecer meu louvor e usar meu coração, minha voz e minhas mãos para adorá-lo. É decisão minha concentrar-me em sua bondade e misericórdia e não na metodologia ou em erros humanos. Decido não criticar meus irmãos e irmãs que também estão aqui para dar glória ao seu nome.

Ser convidado por Deus para vir até ele em adoração é um privilégio imensurável. Que possamos nunca tê-lo como garantido.

PARA PENSAR:
Quando adoramos a Deus com um coração despreparado, pecamos.

VERSÍCULO PARA MEMORIZAR:
Quem poderá subir o monte do Senhor? Quem poderá entrar no seu Santo Lugar? Aquele que tem as mãos limpas e o coração puro, que não recorre aos ídolos nem jura por deuses falsos [...] São assim aqueles que o buscam, que buscam a tua face, ó Deus de Jacó.
Salmos 24.3-4,6

QUESTÃO PARA CONSIDERAR:
O que você pode fazer para preparar-se para a adoração comunitária no próximo final de semana?

Diário — Dia 37

TEMA: SOMOS CRIADOS PARA ADORAR JUNTOS.

ORANDO JUNTOS

Todos eles se reuniam sempre em oração...
Atos 1.14

Deus sempre quis que nossa oração fosse prioridade e não adendo, um acréscimo.

Em muitas igrejas e pequenos grupos, a oração é como cantar o hino nacional em um evento esportivo: não pensaríamos nunca em começar sem fazê-lo, embora não tenha a menor relevância para o evento principal. Os cristãos do primeiro século se reuniam para orar continuamente. A Bíblia diz que devemos nos dedicar à oração, estarmos alerta e ser agradecidos (Colossenses 4.2).

A oração dá as boas-vindas à presença e ao poder de Deus nas circunstâncias da nossa vida e do grupo. Sabemos que é verdade, mas, apesar disso, no momento de praticá-la, ela fica marginalizada. Muitos cristãos têm um sentimento de culpa e inadequação quando alguém se refere à sua vida de oração.

Sejamos honestos, ser dedicado à oração e aprender a orar em comunidade não é fácil. É interessante notar que a única vez que os discípulos pediram a Jesus que lhes ensinasse algo foi quando disseram: "Senhor, ensina-nos a orar" (Lucas 11.1).

Considere algumas sugestões que podem trazer mais motivação para a vida de oração de seu pequeno grupo:

Primeiramente, faça da oração uma prioridade nas reuniões. Em Atos 4, os apóstolos, quando foram presos e ameaçados injustamente, não levantaram protesto; não deram início a um abaixo-assinado ou a uma campanha, nem usaram armas políticas. Em vez disso, convocaram uma reunião de oração. Não demorou muito para que o lugar onde estavam reunidos para orar começasse a tremer, literalmente, por causa do poder de Deus.

Pare um momento e reflita sobre o fato de que o Deus do universo quer ouvir você e seu grupo: "Pois, que grande nação tem um Deus tão próximo como o SENHOR, o nosso Deus, sempre que o invocamos?" (Deuteronômio 4.7). A Bíblia também afirma que podemos ter a ousadia de ir à presença de Deus sabendo que ele é um Pai bondoso que tem prazer em satisfazer as necessidades de seus filhos: "Assim, aproximemo-nos do trono da graça com toda a confiança, a fim de recebermos misericórdia e encontrarmos graça que nos ajude no momento da necessidade" (Hebreus 4.16).

Então, o que aconteceria se seu grupo fizesse da oração uma prioridade? Talvez seja uma questão a discutir. Além disso, o que você pode fazer para aumentar a visão sobre a oração em seu grupo?

Em segundo lugar, faça que todos participem da oração. Há poder quando se ora um pelo outro, mas também quando se ora um com o outro. Se seu grupo é como muitos, deve haver uma ou duas pessoas que se sentem à vontade para orar em voz alta. Assim, acaba se tornando uma expectativa não-verbalizada de que esses membros têm a tarefa de orar sempre.

Caso seu grupo queira realmente abraçar a idéia da oração comunitária, é importante envolver a todos. Se você não se sente à vontade para orar em voz alta, considere estas sugestões para mudar isso:

- Comece devagar. Seu primeiro passo pode não ser com a oração que encerra a reunião de estudo. O primeiro passo pode ser apenas uma oração de uma só frase.
- Seja autêntico. Você não precisa usar uma voz diferente ou determinadas palavras. Apenas fale com Deus do modo que fala com um bom amigo. Não há "maneira certa" de orar.

- Concentre-se em Deus e não nos outros. Afinal de contas, você está orando para Deus. Ele está interessado em seu coração e não na eloquência de suas palavras.

Em terceiro lugar, compartilhe suas necessidades reais com o grupo para que orem. Essa é uma das grandes vantagens de se orar no pequeno grupo. Na reunião da igreja no culto, ou numa reunião de oração em que não conhecemos todas as pessoas, não é possível compartilhar nossas necessidades mais íntimas a fim de recebermos oração. No entanto, quando estamos num círculo íntimo de amigos que nos amam, temos mais abertura para fazê-lo. Somente quando compartilhamos especificamente é que nosso grupo pode orar especificamente — isso nos ajuda a enxergar como Deus responde especificamente também.

Em quarto lugar, aprenda a orar "na hora". Quando alguém compartilha uma necessidade, uma crise ou um motivo de louvor crie o hábito de parar naquele momento e orar com a pessoa. As lágrimas de alguém são, normalmente, o convite de Deus para que seu grupo pare e ore. Algumas vezes, o principal objetivo a ser alcançado na reunião é abraçar carinhosamente alguém que está em necessidade e orar junto com ele.

Orar em grupo é um dos grandes privilégios que temos como membros da igreja de Cristo. Sejamos pessoas que aproveitam completamente esse privilégio!

PARA PENSAR:
Quando seu grupo ora junto, sua fé se fortalece ao ver o poder de Deus ser liberado.

VERSÍCULO PARA MEMORIZAR:
Todos eles se reuniam sempre em oração...
Atos 1.14

QUESTÃO PARA CONSIDERAR:
A oração ocupa uma posição prioritária na vida de seu grupo?

Diário — Dia 38

TEMA: SOMOS CRIADOS PARA ADORAR JUNTOS.

OFERTANDO JUNTOS

No primeiro dia da semana, cada um de vocês separe uma quantia, de acordo com a sua renda, reservando-a para que não seja preciso fazer coletas quando eu chegar.
1Coríntios 16.2

Retribuir a Deus é o coração da adoração.

Talvez você fique surpreso ao saber que Jesus ensinou mais a respeito de dinheiro e posses do que sobre céu ou inferno. Palavras relacionadas ao "dar" são usadas mais de 1.500 vezes na Bíblia, mais do que palavras como fé, esperança, amor e oração. Por quê? Obviamente, Deus não precisa de nosso dinheiro. Ele não é pobre. Mas quer que sejamos como Ele, e isso só acontecerá se aprendermos a ser generosos. Deus é doador — o mais generoso de todo o universo. Tudo o que você tem é dádiva dele (1Crônicas 29.14)!

Em muitas igrejas, o momento da oferta é o ponto menos importante do culto. É ignorado, tolerado ou até motivo de ressentimento para muitos. Mas a Bíblia ensina que Deus quer que nossas ofertas sejam uma expressão de culto profundamente significativa, em três dimensões — passado, presente e futuro.

Primeiro, minha oferta expressa gratidão a Deus pelo passado. "Agradecimento" e "oferta" andam juntos. Quando entregamos a Deus, expressamos nossa apreciação a ele por todas as maneiras com as quais ele nos abençoou. Estamos dizendo: "Deus, estamos gratos por tudo o que o Senhor tem feito em nossa vida e amamos o Senhor". É por isso que você nunca deve ofertar sob pressão. Deus quer que sua doação seja motivada pela gratidão. A Bíblia diz:

"Cada um dê conforme determinou em seu coração, não com pesar ou por obrigação, pois Deus ama quem dá com alegria" (2Coríntios 9.7). Alguns versículos depois, lemos: "... sua generosidade resulte em ação de graças a Deus" (2 Coríntios 9.11).

Segundo, minha oferta expressa minha prioridade no presente. "A finalidade dos dízimos é ensinar vocês a temerem sempre o Senhor, dando sempre a Deus o primeiro lugar nas suas vidas" (Deuteronômio 14.23, *BV*). Se você quer saber o que a pessoa realmente valoriza, verifique sua agenda e seu talão de cheques. A maneira como gastam tempo e dinheiro revela o que é realmente importante para elas. Declarar que amamos a Deus é fácil, mas a Bíblia afirma que a oferta testa a sinceridade de nosso amor (2Coríntios 8.7,8). Quando damos a primeira parte de nosso ganho a Deus, no primeiro dia da semana, fica evidenciado que Deus ocupa o primeiro lugar em nosso coração. Jesus disse: "... onde estiver o seu tesouro, aí também estará o seu coração" (Mateus 6.21).

Terceiro, minha oferta expressa minha fé em Deus quanto ao futuro. Deus encara o que ofereço como um teste para minha fé. Em Malaquias 3.10, lemos: " 'Tragam o dízimo todo ao depósito do templo [...] Ponham-me à prova', diz o Senhor dos Exércitos, 'e vejam se não vou abrir as comportas dos céus e derramar sobre vocês tantas bênçãos que nem terão onde guardá-las' ". Deus diz: "Desafio-os a confiar na promessa de que vou cuidar de vocês se me colocarem em primeiro lugar em suas finanças. Vocês confiarão em mim?". Sempre me surpreendo com o fato de que muitas pessoas estão dispostas a confiar em Deus no que diz respeito à sua salvação eterna, mas não confiam nele o suficiente para entregar o dízimo.

No versículo de hoje (1Coríntios 16.2), Paulo apresenta três características da adoração por meio das ofertas:

- Oferta semanal: "No primeiro dia da semana...". Deus quer que nossa oferta seja sistemática. Por que domingo? Ofertar é um ato de adoração, algo para ser entregue no lugar onde se cultua, quando você presta culto!
- Oferta programada: "... cada um de vocês separe uma quantia...". Isso requer uma reflexão. Deus não quer que sua oferta seja precipitada, impulsiva. Quer que você pense a respeito do que está dando.
- Oferta proporcional: "... de acordo com a sua renda...". Dar o dízimo é entregar 10% do que Deus o ajudou a ganhar. Ele não olha para a quantia que está ofertando, olha para quanto você tem e sua atitude com relação ao que oferta.

Quando você se preparar para o culto de celebração no encerramento dos 40 Dias de Comunidade, reflita sobre a possibilidade de trazer uma oferta de gratidão a Deus por tudo o que tem feito em sua vida, em seu pequeno grupo e em sua igreja, durante as últimas seis semanas.

PARA PENSAR:
Retribuir a Deus é o coração da adoração.

VERSÍCULO PARA MEMORIZAR:
Pois onde estiver o seu tesouro, aí também estará o seu coração.
Mateus 6.21

QUESTÃO PARA CONSIDERAR:
O que minhas ofertas têm revelado sobre as motivações do meu coração?

Diário — Dia 39

TEMA: SOMOS CRIADOS PARA ADORAR JUNTOS.

CELEBRANDO JUNTOS

*falando entre si com salmos, hinos e cânticos espirituais,
cantando e louvando de coração ao Senhor.*
Efésios 5.19

Adoração é uma festa e não um funeral!

Se alguém na Terra tem o direito de celebrar, somos nós, que entregamos a vida a Cristo e fomos aceitos na família de Deus! Pense em tudo o que Deus tem feito por nós!

Quando confiamos em Jesus Cristo recebemos:

- Vida nova, com propósito e significado!
- Perdão por todos os pecados, erros e falhas!
- Amor incondicional e aceitação da parte de Deus!
- Uma família espiritual que nos sustenta!
- Libertação de nossas preocupações, porque Deus tem o controle de tudo!
- Poder de Deus para vencer dores, maus hábitos e traumas!
- A Palavra de Deus com os princípios para uma vida bem-sucedida!
- Libertação da vergonha, de remorsos e de ressentimentos!
- Certeza de que Satanás não pode tirar nossa salvação!
- Conforto de saber que "Deus age em todas as coisas para o bem daqueles que o amam"!
- Capacidade de enfrentar cada dia com fé esperançosa e otimista!
- Dons espirituais, talentos e habilidades para usá-los!

- Proteção das promessas de Deus!
- Suprimento para todas as nossas necessidades!
- Garantia de vida eterna no céu!

Se todos esses benefícios não o fazem celebrar, você precisa verificar sua pulsação para saber se está vivo!

É uma ironia nossa sociedade aceitar que se fique animado com qualquer coisa, menos com Deus. Você pode ir a um evento esportivo, gritar a plenos pulmões, pular, chorar, abraçar, levantar as mãos e sacudi-las no ar — e as pessoas sorrirão aprovando e identificando-o como um "fã". Mas, se você demonstrar alguma alegria, emoção ou entusiasmo no culto, será chamado de "fanático".

Lemos em 2Samuel 6.5: "Davi e todos os israelitas iam cantando e dançando perante o SENHOR, ao som de todo tipo de instrumentos de pinho: harpas, liras, tamborins, chocalhos e címbalos". Isso deve ter sido bem divertido e barulhento! Mas Mical, a esposa de Davi, estava mais preocupada com a dignidade do marido do que com a celebração e por isso o repreendeu (2Samuel 6.16-20). Infelizmente, atitudes como a de Mical ainda atrapalham muitas igrejas hoje, impedindo-as de desfrutarem a adoração e a comunhão em uma comunidade de cristãos.

Deus ama quando ouve filhos cantando louvores. Lemos no Salmo 150: "Tudo que tem vida louve o SENHOR!" (v. 6). O Salmo 149 diz qual tipo de canção cantar: "Aleluia! Cantem ao SENHOR uma nova canção, louvem-no na assembléia dos fiéis" (v. 1). Por que uma nova canção? Porque Deus quer fazer algo novo em nossa vida.

A Bíblia está repleta de celebração — festas, festivais e dias especiais — porque são maneiras importantes de marcar o progresso em nossa vida. A recordação de um fato tem força em si mesma.

Contudo, muito frequentemente estamos tão ocupados com o prosseguimento de nossas atividades e tarefas que não paramos para comemorar o que já conquistamos.

Ao concluir os 40 Dias de Comunidade, prepare seu coração e vá para a igreja com a expectativa de celebrar com os outros. Aqui está sua tarefa final: faça em seu diário uma lista de todas as coisas boas que você viu Deus fazer nas seis últimas semanas em sua vida, sua família, seu pequeno grupo e na igreja. Depois, prepare-se para compartilhar sua lista na reunião do grupo ou com outras pessoas no culto de celebração no final de semana na igreja.

Lemos, em Apocalipse 5.11-13, que haverá uma grande celebração no céu! Vamos começar ensaiando nossas habilidades de celebrar agora para que nosso coração esteja preparado para o céu! O tempo que passamos cantando louvores a Deus aqui na terra somente abrirá nosso apetite para o dia quando o cântico não cessará mais.

PARA PENSAR:
Toda vez que festejo a Deus com os outros, estou ensaiando para o céu.

VERSÍCULO PARA MEMORIZAR:
Então a minha alma exultará no Senhor e se regozijará na sua salvação.
Salmos 35.9

QUESTÃO PARA CONSIDERAR:
Quando você adora a Deus está mais preocupado com o que Deus pensa, ou com o que os outros vão pensar a seu respeito?

Diário — Dia 40

Uma palavra final de encorajamento

Quero parabenizá-lo por completar a segunda das três Caminhadas de Crescimento Espiritual com Propósitos. Incentivo-o a continuar firme com sua hora devocional diária com Deus.

Se você quiser receber gratuitamente as leituras devocionais de *Uma Vida com Propósitos*, registre-se no site do Purpose Driven Ministry (www.purposedriven.com), este recurso está disponível somente em inglês. Se você ainda não leu o livro *Uma vida com propósitos* (**Vida, 1998**) ou uma *Igreja com Propósitos* (**Vida, 1997**), espero que o faça em breve.

Esta obra foi composta em *Adobe Garamond*
e impressa por Gráfica Expressão e Arte sobre papel
Pólen Bold 90g/m² para Editora Vida.